高老师歌谣学汉语

Rhymes & Rhythm

For learning Chinese

3

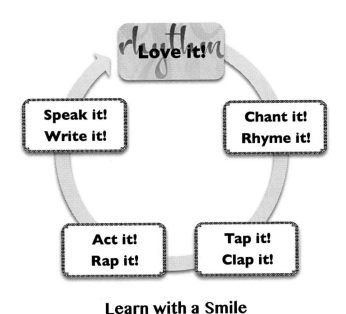

Love it!

Speak it!
Write it!

Chant it!
Rhyme it!

Act it!
Rap it!

Tap it!
Clap it!

Learn with a Smile

Jian Gao

Illustrated by Eric Keto

Copyright © 2005 by Jian Gao

Published by Simply Excellent Chinese

www.chinesewithease.com

Illustration: Eric Keto

ISBN   978-1-940031-22-4

Printed in the United States of America
by Country Press Inc.
www.countrypressinc.com

ACKNOWLEDGEMENTS

Thank you to all the students I was fortunate to work with at Belmont Hill School of Massachusetts. You are full of wonder, insight and imaginations. You are my sources of inspiration.

Table of Contents

A. Chinese language

Theme Connections

B. Grammar chants

C. About China

Theme Connections

D. Chinese festivals & More

E. Get in the act

Theme Connections

音韵飘扬 润物无声

不管童年离我们有多遥远，我们的记忆中一定存有几首张口即来的歌谣。近十多年来，为了让我的学生一接触汉语就爱上汉语，为了把古老的"歌谣效应"巧妙地运用在汉语教学中，我为学生写了二百多首教学歌谣。我每教学生一个话题都会把核心词跟日常话编成一首歌谣或说唱给他们，以此引趣激情，帮助他们储存巩固并拓展已学到的知识内容。每当我看到学生兴致勃勃地去学去念去说去背诵去表演这些歌谣说唱时，我知道他们很快就能把所学内容内化成自己的语言。

Rhymes & Rhythm for Learning Chinese 汇集了我的一百多首精选教学歌谣。第一册和第二册的内容以教会话为主，话题包括：热身歌谣，问候，道谢，数字，身体，家庭，职业，学校，运动，动物，饮食，就餐，星期，时间，季节，气候，感觉，疾病，购物，交通，地点，衣物，颜色，方向，户外活动等等。第三册的内容有：语法点，中国文化精华，节庆，短剧，快板，数来宝等。

字不离词，词不离句，句不离段是一条教授汉语的正路，而我的这些歌谣和韵律会话正是路上的一块块踏石，可让学生踩着去感受汉字抑扬顿挫的美音，领悟汉字古朴端庄的飘逸，探究汉字源远流长的文化底蕴。我们教的是日常会话，具体点儿说就是教学生把音发准，把话说明白，教他们认识一些常用字。因此，我们不用一上来就把汉语教得复杂深奥，非让学生捧着一篇篇长课文去学核心词和日常用语不可。教无定法，贵在得法。**A simple rhyme saves a lot of time**. 一首歌谣，一个说唱：清新自然，舒缓流畅，朗朗上口，好念好记，音韵飘扬，润物无声。

The 40-Minute Lesson Format That Works

Integrate motivation, imagination, movement, and emotion to accelerate language learning. Design each lesson to capture and hold students' interest, reinforce their knowledge, strengthen their language skills, and encourage active learning.

When students are having fun, they are more open to learning and want to continue.

Step 1 **Using warm-ups to get students ready to learn: 3-5 minutes**

Start the class with an action-filled warm-up activity to get students into "Chinese mode". Form two teams to compete to see who knows the material better.

- Review previous learned vocabulary
- Review the grammar points
- Recite or perform rhymes, chants, skits, etc.

Step 2 **Present new material: 5-10 minutes**

Introduce new concepts through effective Wh-questions that generate deep thinking and quick communication. Pay attention to students' responses. Listening is teaching.

- Introduce new vocabulary
- Introduce new grammar concepts
- Help students connect from previous material to new

Step 3 **Practice the new material through activities: 20-25 minutes**

- Story time: Chinese characters contain pictures, and pictures contain stories
- Pair work: rhymes, role-playing, discussion, problem solving, games, debates, quizzes, skits, etc.
- Rewrite: rewrite a text, a dialogue, and a skit, etc.
- Research: cross-cultural awareness
- Presentation: projects related to China and the Chinese language. Maximize students' talk time. Once a practice routine is started, a teacher should do little except keep a record of who has done what. It is fun to sit back and observe. By doing so, we are teaching.

Step 4 **End the class with a fun activity: 5 minutes**

- _On the Same Team_: help students review general categories of words
- _Name That Word_: help students figure out the meaning of a word from the context
- _Not So New_: help students gain knowledge of the Chinese language
- _Highlights 3_: help students organize what they have learned in today's lesson
- Homework: assign a small amount of meaningful homework. Only high-quality homework can help students learn a subject.

mā
妈。

mǎ
马。

mā ma mà mǎ
妈妈骂马。

mǎ mà mā ma
马骂妈妈。

mā ma mà mǎ màn
妈妈骂马慢。

mǎ mà mā ma mán
马骂妈妈蛮。

mán mā ma mà màn mǎ
蛮妈妈骂慢马。

màn mǎ mà mán mā ma
慢马骂蛮妈妈。

mán mā ma mà mǎ mā ma
蛮妈妈骂马妈妈。

mǎ mā ma mà mán mā ma
马妈妈骂蛮妈妈。

ma-ma-ma, ma-ma-ma,

ma-ma-ma-ma-ma-ma-ma.

nǐ dào dǐ zài shuō shá
你到底在说啥?

nǐ dào dǐ zài shuō shá
你到底在说啥?

Key words

1	妈	mā	mother; mom
2	马	mǎ	horse
3	骂	mà	to scold
4	慢	màn	slow
5	蛮	mán	rude
6	到底	dàodǐ	in the end; after all
7	在	zài	a marker for the progressive tense
8	说	shuō	to speak; to talk
9	啥	shá	What?

Pinyin, formally Hanyu Pinyin, is the official phonetic system for transcribing the sound of Chinese characters into Latin script. Hanyu means "the spoken language of the Han People", and Pinyin literally means "spell-out sounds". The Pinyin system was developed in the 1950's in Mainland China, and is now adopted as the official Romanization system of Singapore, Taiwan, the US Library of Congress, and the American Library Association.

Although Chinese characters represent single syllables, Mandarin Chinese is a polysyllabic language. Spacing in pinyin is based on whole words, not single syllables.

Tones are important in Chinese because there are many words with the same sound. Pinyin *should* be written with tone marks to make the meaning of the words clear.

Chinese characters can be decomposed into basic components called radicals. A Chinese character often represents a part of history, an image, an idea or an attitude about life.

zhōng guó hàn zì sì fāng fāng
中 国 汉 字 四 方 方，

gǔ lǎo měi lì shì wú shuāng
古 老 美 丽 世 无 双 。

diǎn héng shù   diǎn héng shù
点 横 竖 ， 点 横 竖 。

shù piě nà   shù piě nà
竖 撇 捺 ， 竖 撇 捺 。

shù wān gōu   shù wān gōu
竖 弯 钩 ， 竖 弯 钩 。

héng zhé gōu   héng zhé gōu
横 折 钩 ， 横 折 钩 。

héng shù piě nà shù wān gōu
横 竖 撇 捺 竖 弯 钩 。

héng shù piě nà shù wān gōu
横 竖 撇 捺 竖 弯 钩 。

héng shù piě nà héng zhé gōu
横 竖 撇 捺 横 折 钩 。

héng shù piě nà héng zhé gōu
横 竖 撇 捺 横 折 钩 。

zì lǐ yǒu huà er yào zǐ xì kàn
字 里 有 画 儿 要 仔 细 看，

zì lǐ de gù shì qiān qiān wàn
字 里 的 故 事 千 千 万，

ya
Have fun 呀！ Have fun!

Key words

1	四方	sìfāng	square shape
2	古老	gǔlǎo	old; ancient
3	美丽	měilì	beautiful
4	世界	shìjiè	world
5	无双	wúshuāng	unique; cannot find another one like it
6	点	diǎn	dot
7	横	héng	horizontal line
8	竖	shù	vertical line
9	撇	piě	left-slanting downward stroke
10	捺	nà	right-slanting downward stroke
11	弯	wān	bent
12	钩	gōu	hook
13	折	zhé	turning stroke
14	仔细	zǐxì	careful; carefully
15	故事	gùshì	story
16	千	qiān	thousand
17	万	wàn	ten thousands
18	笔划	bǐhuà	strokes of a Chinese character
19	笔顺	bǐshùn	stroke-orders of a Chinese character

Mandarin Chinese uses four tones to clarify the meanings of words. Since many characters have the same sounds, tones are used to differentiate words from each other. When you learn new vocabulary, you must practice both the pronunciation of the word and its tone. The wrong tone can change the meaning of a sentence.

hàn yǔ sì shēng hěn zhòng yào
汉 语 四 声 很 重 要,

shuō bù hǎo huì ràng rén xiào
说 不 好 会 让 人 笑。

xiǎo jiě   wǒ xiǎng wèn wèn nǐ
小 姐, 我 想 问 问 你,

bù néng shuō chéng   wěn wěn nǐ
不 能 说 成: 吻 吻 你。

shū bāo shì shū bāo
书 包 是 书 包,

shū bào shì shū bào
书 报 是 书 报。

shū bāo shì zhuāng shū de bāo
书 包 是 装 书 的 包。

shū bào shì shū hé bào
书 报 是 书 和 报。

kàn shū shì kàn shū
看 书 是 看 书。

kǎn shù shì kǎn shù
砍 树 是 砍 树。

bù néng bǎ kàn shū shuō chéng kǎn shù
不 能 把 看 书 说 成 砍 树,

yě bù néng bǎ kǎn shù shuō chéng kàn shū
也 不 能 把 砍 树 说 成 看 书。

Key words

1	四声	sìshēng	the four tones in mandarin Chinese
2	重要	zhòngyào	important
3	会	huì	to be likely; can
4	让	ràng	to allow; to let
5	笑	xiào	to laugh
6	能	néng	to be able to
7	吻	wěn	to kiss
8	报	bào	newspaper
9	装	zhuāng	to hold
10	包	bāo	bag
11	砍	kǎn	to cut (a tree)
12	树	shù	tree
13	把	bǎ	to have something done
14	说成	shuōchéng	to say as
15	拼音	pīnyīn	Pinyin - literally means to spell sound
16	发音	fāyīn	to pronounce; pronunciation
17	语调	yǔdiào	intonation; accent
18	部首	bùshǒu	radicals in Chinese characters
19	声旁	shēnpáng	phonetic components of a Chinese character

běi jīng rén　　běi jīng rén
北 京 人，北 京 人，

běi jīng rén shuō běi jīng huà
北 京 人 说 北 京 话，

běi jīng huà yǒu ér　ér　ér
北 京 话 有 儿 儿 儿。

běi jīng yé men er chàng xiǎo qǔ er
北 京 爷 们 儿 唱 小 曲 儿，

běi jīng niáng men er dēng sān lún er
北 京 娘 们 儿 蹬 三 轮 儿，

běi jīng xiǎo huǒ er cháng liù wān er
北 京 小 伙 儿 常 遛 弯 儿，

běi jīng xiǎo niū er ài zǒu shén er
北 京 小 妞 儿 爱 走 神 儿。

běi jīng gē men er shuǎ pín zuǐ er
北 京 哥 们 儿 耍 贫 嘴 儿，

běi jīng dà wàn er tài kōu mén er
北 京 大 腕 儿 太 抠 门 儿，

běi jīng xiǎo fàn er mài bīng gùn er
北 京 小 贩 儿 卖 冰 棍 儿，

běi jīng xiǎo hái er duī xuě rén er
北 京 小 孩 儿 堆 雪 人 儿。

běi jīng rén　　běi jīng rén
北 京 人，北 京 人，

běi jīng rén shuō běi jīng huà
北 京 人 说 北 京 话，

běi jīng huà yǒu ér　ér　ér
北 京 话 有 儿 儿 儿。

Key words

1	爷们儿	yémenr	men
2	小曲儿	xiǎoqǔr	music; song; tune
3	娘们儿	niángmenr	women
4	蹬	dēng	to step on
5	三轮儿	sānlúnr	rickshaw
6	小伙儿	xiǎohuǒr	young guy
7	遛弯儿	liùwānr	to take a walk
8	小妞儿	xiǎoniūr	young girl
9	走神儿	zǒushénr	absent-minded
10	哥们儿	gēmenr	dude (slang)
11	耍	shuǎ	to play
12	贫嘴	pínzuǐ	to make silly jokes
13	大腕儿	dàwànr	big shot
14	抠门儿	kōuménr	stingy
15	小贩儿	xiǎofànr	peddler
16	冰棍儿	bīnggùnr	popsicle
17	堆	duī	to build
18	雪人儿	xuěrénr	snowman
19	方言	fāngyán	dialect

Chinese vocabulary is formed in a logical way. Once you know some basic words, your learning process will speed up. As you progress, you will notice that many new words are simply creative combinations of other basic words you know.

For example: 雪人，雪山，下雪，滑雪，冰雪，雪景，雪水，雪花，

Chinese grammar can be simply summarized as follows:

1. **No conjugations**: Each verb only has one form. There are no irregular verbs

2. **No tenses**: No matter when an action takes place, the verb form never changes.

3. **No articles**: There are no such things as 'the' and 'a'

4. **No plurals**: quantifiers before the noun, or simply the context, will make clear whether we are talking in singular or in plural.

5. **No gender**: There are no masculine, feminine or neuter words

6. **No declinations of adjectives by number or gender**: Just like verbs, adjectives never change.

7. **Fixed sentence pattern**: subject - verb - object

人人都说汉语难，

其实汉语很简单。

名词学会一个是一个，

不必记它是男是女还是中间。

这下儿省了多少事儿，

动词形容词都不用跟着名词变。

人人都说汉语难，

其实汉语很简单。

虽说汉字有八万，

只要学会三千五就玩得转。

造句像是玩乐高，

主谓宾定状的位置永远都不变。

人人都说认字难，

其实认字很简单。

字里既有哲理又有画儿，

还有故事感受和理念。

比如说，早旧旦，哪个都跟日有关。

再比如，山出仙，个个都跟山相连。

人人都说四声难，

其实四声很简单。

一个字，一个音儿，

关键看你怎么练。

千万别张着大嘴 Ā Á Ǎ À 地喊，

几首韵律歌谣保你汉语说得字正腔圆。

Key words

1	其实	qíshí	in fact
2	不必	búbì	not necessarily
3	记	jì	to remember
4	省事	shěngshì	to save trouble
5	变	biàn	to change
6	造句	zàojù	to make up sentences
7	乐高	lègāo	Lego
8	位置	wèizhi	position; location
9	永远	yǒngyuǎn	forever
10	认字	rènzì	to recognize a character
11	哲理	zhélǐ	philosophy
12	故事	gùshì	story
13	感受	gǎnshòu	to feel; feeling
14	理念	lǐniàn	concept; idea
15	相连	xiānglián	to connect; connection
16	关键	guānjiàn	the key point
17	千万	qiānwàn	by all means
18	韵律	yùnlǜ	rhythm; rhythmical
19	字正腔圆	zìzhèngqiāngyuán	perfect accent

Asking a question in Chinese is as easy as ABC, though it might be a bit confusing at first. In Chinese, a Wh-question word goes exactly where the answer goes.

Who? 谁？ 谁 是 谁？
shuí   shuí shì shuí

shuí xiǎng zhī dào wǒ shì shuí
谁 想 知 道 我 是 谁？

Who? 谁？ 你 是 谁？
shuí   nǐ shì shuí

wǒ men zhī dào nǐ shì zéi
我 们 知 道 你 是 贼。

Whose? 谁 的？ 谁 的？ **Whose?**
shuí de   shuí de

zhè shì shuí de dà huī tù zi
这 是 谁 的 大 灰 兔 子？

Whose? 谁 的？ 谁 的？ **Whose?**
shuí de   shuí de

zhèi shì wǒ de dà huī tù zi
这 是 我 的 大 灰 兔 子。

Where? 哪 儿？ **Where?** 哪 儿？
nǎ er   nǎ er

qǐng wèn   nǐ men yào qù nǎ er
请 问，你 们 要 去 哪 儿？

Where? 哪 儿？ **Where?** 哪 儿？
nǎ er   nǎ er

wǒ men yào qù dà yàn tǎ
我 们 要 去 大 雁 塔。

What? 什么? 什么? **What?**
_{shén me} _{shén me}

这 是 什 么? 谁 的 骆 驼?
_{zhè shì shén me} _{shuí de luò tuo}

What? 什 么? 什 么? **What?**
_{shén me} _{shén me}

这 是 沙 漠, 我 的 骆 驼。
_{zhèi shì shā mò} _{wǒ de luò tuo}

Which? 哪? 哪? **Which?**
_{nǎ} _{nǎ}

哪 辆 是 你 的 新 奔 驰?
_{nǎ liàng shì nǐ de xīn bēn chí}

Which? 哪? 哪? **Which?**
_{nǎ} _{nǎ}

这 辆 是 我 的 新 奔 驰。
_{zhèi liàng shì wǒ de xīn bēn chí}

Why? 为 什 么? 为 什 么? **Why?**
_{wèi shén me} _{wèi shén me}

你 们 为 什 么 都 不 在?
_{nǐ men wèi shén me dōu bú zài}

Why? 为 什 么? 为 什 么? **Why?**
_{wèi shén me} _{wèi shén me}

我 们 正 在 看 球 赛。
_{wǒ men zhèng zài kàn qiú sài}

How many? 几 个? 多 少?
_{jǐ gè} _{duō shǎo}

几 个 学 生? 多 少 鸟?
_{jǐ gè xué shēng} _{duō shǎo niǎo}

How many? 几 个? 多 少?
_{jǐ gè} _{duō shǎo}

九 个 学 生, 十 九 只 鸟。
_{jiǔ gè xué shēng} _{shí jiǔ zhī niǎo}

Key words

1	谁	shéi	Who?
2	知道	zhīdào	to know
3	贼	zéi	thief
4	谁的	shéide	Whose?
5	兔子	tùzi	rabbit
6	哪儿	nǎr	Where?
7	要	yào	to want; should
8	去	qù	to go
9	大雁塔	dàyàntǎ	Giant Wild Goose Pagoda in Xi'An
10	什么	shénme	What?
11	骆驼	luòtuo	camel
12	沙漠	shāmò	desert
13	哪	nǎ	Which?
14	奔驰	bēnchí	Mercedes-Benz; to gallop; to run fast
15	为什么	wèishénme	Why?
16	正在	zhèngzài	progressive tense marker
17	球赛	qiúsài	ball game
18	几	jǐ	How many? (for less than 10)
19	多少	duōshǎo	How many? (for more than10)

的 得 地 are the most popular particles in the Chinese language, thus you see them everywhere. This rhyme will help you remember a few rules, so you can use them properly.

de de di   de de di   sān gè hǎo xiōng dì
的 得 地，的 得 地，三 个 好 兄 弟。

tīng qǐ lái dōu chà bu duō   yòng shí qǐng zhù yì
听 起 来 都 差 不 多，用 时 请 注 意。

hēi sè de shū bāo shì wǒ de
黑 色 的 书 包 是 我 的。

lán sè de qiú xié shì tā de
蓝 色 的 球 鞋 是 他 的。

shì jiè dì tú shì lǎo shī de
世 界 地 图 是 老 师 的。

tài yáng shì dà jiā de
太 阳 是 大 家 的。

fàn chī de duō   shì zuò de shǎo
饭 吃 得 多，事 做 得 少。

shuì de zǎo qǐ de wǎn   hàn yǔ shuō de bù hǎo
睡 得 早 起 得 晚，汉 语 说 得 不 好。

fēng hū hū di chuī   xīng jìng jìng di shǎn
风 呼 呼 地 吹，星 静 静 地 闪。

tiān màn màn di biàn hēi le   jiā lǐ zhēn wēn nuǎn
天 慢 慢 地 变 黑 了，家 里 真 温 暖。

de de di   de de di   dà jiā qǐng zhù yì
的 得 地，的 得 地，大 家 请 注 意：

jì zhù yì xiē xiǎo guī zé   yòng qǐ lái jiù róng yì
记 住 一 些 小 规 则，用 起 来 就 容 易。

Key words

1	兄弟	xiōngdì	brothers
2	听	tīng	to listen; to hear
3	差不多	chàbùduō	almost
4	用	yòng	to use
5	注意	zhùyì	to pay attention to
6	世界	shìjiè	world
7	地图	dìtú	map
8	太阳	tàiyáng	sun
9	做事	zuòshì	to do things
10	风	fēng	wind
11	轻	qīng	gentle; lightly
12	吹	chuī	to blow
13	静	jìng	quietly; quiet
14	闪	shǎn	to flash; to spark
15	变	biàn	to change; to become
16	温暖	wēnnuǎn	warm
17	记住	jìzhù	to remember; to learn by heart
18	规则	guīzé	rules
19	容易	róngyì	easy

了，着，过 are particles. Chinese language doesn't have tenses like English, but it has some words indicate the tenses, such as 了，着，过.

le le le　le le le
了 了 了，了 了 了，

zuó tiān nǐ zuò shén me le
昨 天 你 做 什 么 了？

wǒ dǎ le qiú　diào le yú
我 打 了 球，钓 了 鱼，

tīng le yīn yuè　hái xià le qí
听 了 音 乐，还 下 了 棋。

guò guò guò　guò guò guò
过 过 过，过 过 过，

yǐ qián nǐ zuò guò shén me
以 前 你 做 过 什 么？

wǒ pá guò shān　huà guò huà er
我 爬 过 山，画 过 画 儿，

tán guò gāng qín　hái dǎ guò jià
弹 过 钢 琴，还 打 过 架。

kàn xiàng zhe　zhe xiàng kàn
看 象 着，着 象 看。

kàn zì tóu shàng méi yǒu diǎn er
看 字 头 上 没 有 点 儿，

yǒu le liǎng diǎn er jiù shì zhe
有 了 两 点 儿 就 是 着。

zhàn zhe shuō　zuò zhe hē
站 着 说，坐 着 喝，

tīng zhe yīn yuè kàn xiǎo shuō
听 着 音 乐 看 小 说。

dǎ zhe diàn huà bāo jiǎo zi
打 着 电 话 包 饺 子，

fàng zhe fēng zhēng chàng guó gē
放 着 风 筝 唱 国 歌。

Key words

1	打球	dǎqiú	to paly ball
2	钓鱼	diàoyú	to go fishing
3	音乐	yīnyuè	music
4	下棋	xiàqí	to play chess
5	以前	yǐqián	before; previously
6	爬山	páshān	to climb a mountain
7	画画儿	huà huàr	to draw a picture
8	弹	tán	to play (a musical instrument)
9	钢琴	gāngqín	piano
10	打架	dǎjià	to fight
11	象	xiàng	to look alike; similar
12	听	tīng	to listen; to hear
13	音乐	yīnyuè	music
14	小说	xiǎoshuō	novel
15	电话	diànhuà	telephone
16	放	fàng	to let go; to release; to put
17	风筝	fēngzheng	kite
18	唱	chàng	to sing
19	国歌	guógē	national anthem

nǐ chī le fàn méi yǒu
你 吃 了 饭 没 有？

dào xiàn zài hái méi yǒu
到 现 在 还 没 有。

nǐ mǎi le chē méi yǒu
你 买 了 车 没 有？

dào xiàn zài hái méi yǒu
到 现 在 还 没 有。

nǐ hē guò jiǔ méi yǒu
你 喝 过 酒 没 有？

dào xiàn zài hái méi yǒu
到 现 在 还 没 有。

nǐ rǎn guò fà méi yǒu
你 染 过 发 没 有？

dào xiàn zài hái méi yǒu
到 现 在 还 没 有。

nǐ dǎ guò gōng méi yǒu
你 打 过 工 没 有？

dào xiàn zài hái méi yǒu
到 现 在 还 没 有。

nǐ chǎo guò jià méi yǒu
你 吵 过 架 没 有？

dào xiàn zài hái méi yǒu
到 现 在 还 没 有。

nǐ zěn me shén me dōu méi yǒu
你 怎 么 什 么 都 没 有？

dào xiàn zài hái méi yǒu
到 现 在 还 没 有。

Key words

1	现在	xiànzài	now
2	买车	mǎichē	to buy a car
3	喝酒	hējiǔ	to drink alcohol
4	染发	rǎnfà	to dye one's hair
5	打工	dǎgōng	to work
6	吵架	chǎojià	to quarrel
7	过	guò	marker for the past perfect tense
8	刺青	cìqīng	tattoo; to get a tattoo
9	开车	kāichē	to drive
10	打架	dǎjià	to fight
11	骂人	màrén	to swear or curse
12	偷懒	tōulǎn	to be lazy
13	说谎	shuōhuǎng	to tell a lie
14	骗人	piànrén	to cheat someone
15	偷钱	tōuqián	to steal money
16	赌钱	dǔqián	to gamble (money)
17	抽烟	chōuyān	to smoke
18	打赌	dǎdǔ	to bet
19	街舞	jiēwǔ	street dance － 跳街舞

Adjectives describe or give information about nouns or pronouns.

This rhyme teaches you how to say some common adjectives in Chinese. So, clap your hands or tap your toe or honk your nose or stamp your feet while rhyming it!

---

yí gè dà　　yí gè xiǎo　　yì tóu xiàng　　yì zhī niǎo
一 个 大， 一 个 小： 一 头 象， 一 只 鸟。

yí gè duō　　yí gè shǎo　　yì bǎ mǐ　　yí gè zǎo
一 个 多， 一 个 少： 一 把 米， 一 个 枣。

yí gè gāo　　yí gè ǎi　　yí zuò shān　　yì bēi nǎi
一 个 高， 一 个 矮： 一 座 山， 一 杯 奶。

yí gè pàng　　yí gè shòu　　yì tóu zhū　　yí kuài ròu
一 个 胖， 一 个 瘦： 一 头 猪， 一 块 肉。

yí gè zhòng　　yí gè qīng　　yì tǒng shuǐ　　yì zhǎn dēng
一 个 重， 一 个 轻： 一 桶 水， 一 盏 灯。

yí gè kuài　　yí gè màn　　yí liàng chē　　yì wǎn fàn
一 个 快， 一 个 慢： 一 辆 车， 一 碗 饭。

yí gè cháng　　yí gè duǎn　　yì tiáo shéng　　yì bǎ sǎn
一 个 长， 一 个 短： 一 条 绳， 一 把 伞。

yí gè rè　　yí gè lěng　　yì hú chá　　yì zhāng bǐng
一 个 热， 一 个 冷： 一 壶 茶， 一 张 饼。

yí gè xiāng　　yí gè chòu　　yì pán cài　　yì bǎ dòu
一 个 香， 一 个 臭： 一 盘 菜， 一 把 豆。

zhèi gè shēn　　nà gè qiǎn　　zhèi gè róng yì　　nà gè nán
这 个 深， 那 个 浅。 这 个 容 易， 那 个 难。

zhèi gè suān　　nà gè tián　　zhèi gè qīng dàn　　nà gè xián
这 个 酸， 那 个 甜。 这 个 清 淡， 那 个 咸。

Key words

1	高	gāo	tall; high
2	矮	ǎi	short (vertically short)
3	胖	pàng	fat; over-weight
4	瘦	shòu	skinny; thin
5	肥	féi	fat (mainly used to describe animals)
6	重	zhòng	heavy
7	轻	qīng	light weight
8	香	xiāng	fragrant
9	臭	chòu	smelly; stink
10	长	cháng	long
11	短	duǎn	short (horizontally short)
12	冷	lěng	cold
13	深	shēn	deep (water, a hole); dark (color)
14	浅	qiǎn	shallow (water, a hole); light (color)
15	容易	róngyì	easy
16	难	nán	difficult; hard
17	清淡	qīngdàn	light (taste of food); not greasy
18	咸	xián	salty
19	一样	yíyàng	same

　　比 一 比　**Let's compare.**

Compare and contrast are ways of looking at objects and thinking about how they are alike and different. It is important to organize your thoughts and information before you do so.

dà shù cū　　xiǎo shù xì
大 树 粗， 小 树 细，

dà shù hé xiǎo shù zài yì qǐ
大 树 和 小 树 在 一 起，

zhàn zài yì qǐ bǐ yī bǐ
站 在 一 起 比 一 比。

dà shù gāo　　bǐ xiǎo shù gāo
大 树 高： 比 小 树 高，

xiǎo shù ǎi　　bǐ dà shù ǎi
小 树 矮： 比 大 树 矮。

xiǎo shù méi yǒu dà shù cū
小 树 没 有 大 树 粗，

dà shù méi yǒu xiǎo shù xì
大 树 没 有 小 树 细。

dà shù hé xiǎo shù yí yàng měi
大 树 和 小 树 一 样 美，

mǎn shēn de yè zi dōu hěn lǜ
满 身 的 叶 子 都 很 绿。

dà shù cū　　xiǎo shù xì
大 树 粗， 小 树 细，

dà shù hé xiǎo shù zài yì qǐ
大 树 和 小 树 在 一 起，

zhàn zài yì qǐ bǐ yī bǐ
站 在 一 起 比 一 比。

Key words

1	树	shù	tree
2	粗	cū	thick; rough
3	细	xì	thin; slender
4	站	zhàn	to stand
5	一起	yìqǐ	together
6	比	bǐ	to compare; to compete
7	高	gāo	tall; high
8	矮	ǎi	short; low (vertically short)
9	跟	gēn	with; and
10	一样	yíyàng	same
11	满	mǎn	full; filled with
12	身	shēn	body
13	叶子	yèzi	leaf
14	酷	kù	cool
15	聪明	cōngmíng	smart
16	笨	bèn	stupid
17	活泼	huópō	lively; vivacious
18	严肃	yánsù	serious
19	很牛	hěn niú	awesome (describe a person)

Compare and contrast are ways of looking at objects and thinking about how they are alike and different. It is important to organize your thoughts and information before you do so.

nǐ duō dà   tā duō dà
你多大？她多大？

nǐ liǎ shì bú shì yí yàng dà
你俩是不是一样大？

wǒ shí qī   tā shí bā
我十七，她十八。

wǒ bǐ tā xiǎo   tā bǐ wǒ dà
我比她小，她比我大。

nǐ duō dà   tā duō dà
你多大？她多大？

nǐ liǎ shì bú shì yí yàng dà
你俩是不是一样大？

wǒ shí qī   tā shí bā
我十七，她十八。

wǒ méi tā gāo   yě méi tā dà
我没她高，也没她大。

nǐ duō dà   tā duō dà
你多大？他多大？

nǐ liǎ shì bú shì yí yàng dà
你俩是不是一样大？

wǒ liǎ jīn nián dōu shí bā
我俩今年都十八。

wǒ men gē liǎ yí yàng dà
我们哥俩一样大。

Key words

1	多大	duōdà	How old? (for age older than 10)
2	俩	liǎ	two people
3	一样	yíyàng	same
4	比	bǐ	to compare
5	高	gāo	tall; high
6	今年	jīnnián	this year
7	哥俩	gēliǎ	brothers
8	姐俩	jiěliǎ	sisters

比 is used to compare objects or actions.

Positive:　　A 比 B ＋ adjective

我比我朋友高。
I am taller than my friend.

Negative:　　A 不比 B ＋ Adjective　　or　　A 没有 B ＋ Adjective

我不比我朋友高。　　　我没有我朋友高。
I am not taller than my friend.　　I am not taller than my friend.

跟…一样 (as same as) is used to show that two objects or two actions are the same.

Positive:　　A 跟 B 一样 ＋ adjective

我跟我朋友一样高。
I am as tall as my friend.

Negative:　　A 跟 B 不一样 ＋ adjective

我跟我朋友不一样高。
I am not as tall as my friend.

1. 从来不：will never do it   我从来不吃肉。

2. 从来没：haven't done it yet   我从来没吃过北京烤鸭。

wǒ cóng lái bú mà rén
我 从 来 不 骂 人，

wǒ cóng lái bù huán kǒu
我 从 来 不 还 口。

wǒ cóng lái bù shuō huǎng
我 从 来 不 说 谎，

wǒ cóng lái bú dòng shǒu
我 从 来 不 动 手。

wǒ cóng lái bù shī yán
我 从 来 不 失 言，

wǒ cóng lái bù jiǎo biàn
我 从 来 不 狡 辩，

wǒ cóng lái bú zuò bì
我 从 来 不 作 弊，

wǒ cóng lái bú bào yuàn
我 从 来 不 抱 怨。

yí jù huà
一 句 话，

wǒ cóng lái bù shuō cóng lái bù
我 从 来 不 说 从 来 不。

wǒ cóng lái bù shuō cóng lái bù
我 从 来 不 说 从 来 不。

Key words

1	骂人	màrén	to swear or curse
2	还口	huánkǒu	to talk back
3	说谎	shuōhuǎng	to tell a lie
4	动手	dòngshǒu	to hit someone
5	失言	shīyán	to break a promise
6	狡辩	jiǎobiàn	to argue about
7	作弊	zuòbì	to commit a fraud
8	抱怨	bàoyuàn	to complain about
9	从来不	cóngláibù	never do
10	从来没	cóngláiméi	haven't yet
11	祈求	qǐqiú	to beg; to pray for
12	自私	zìsī	selfish
13	自信	zìxìn	confident
14	叫真儿	jiàozhēnr	to be serous about
15	固执	gùzhí	stubborn
16	寂寞	jìmò	lonely
17	好斗	hàodòu	to be aggressive
18	乱说	luànshuō	to make up some stories
19	保守	bǎoshǒu	conservative

Here are a few common classroom expressions in Chinese that your teacher may use in class. So, learn it, understand it, and always obey your teacher.

bǎ shū fàng zài zhuō shàng   bǎ bǐ ná zài shǒu lǐ
把书放在桌上，把笔拿在手里，

bǎ běn zi ná chū lái   qǐng nǐ xiě "yī"
把本子拿出来，请你写"一"。

bǎ shū fàng zài zhuō shàng   bǎ bǐ ná zài shǒu lǐ
把书放在桌上，把笔拿在手里，

bǎ xiàng pí ná chū lái   qǐng nǐ cā diào yī
把橡皮拿出来，请你擦掉一。

bǎ shū fàng zài zhuō shàng   bǎ bǐ ná zài shǒu lǐ
把书放在桌上，把笔拿在手里，

bǎ bǐ dāo ná chū lái   xuē xue nǐ de qiān bǐ
把笔刀拿出来，削削你的铅笔。

bǎ shū fàng zài zhuō shàng   bǎ bǐ ná zài shǒu lǐ
把书放在桌上，把笔拿在手里，

bǎ chǐ zi ná chū lái   liáng liáng nǐ de bǐ
把尺子拿出来，量量你的笔。

bǎ shū fàng zài zhuō shàng   bǎ bǐ ná zài shǒu lǐ
把书放在桌上，把笔拿在手里，

qǐng nǐ ná chū zhǐ lái   wǒ yào kǎo kao nǐ
请你拿出纸来，我要考考你。

duì bù qǐ   lǎo shī   lǎo shī   duì bù qǐ
对不起，老师。老师，对不起。

wǒ men zhǐ yǒu bǐ   kě shì méi yǒu zhǐ
我们只有笔，可是没有纸。

Key words

1	把	bǎ	a particle marking the following noun as a direct object: 把 + noun + verb + compliment
2	放	fàng	to put; to let go of
3	桌子	zhuōzi	table; desk
4	上	shàng	up; on top of
5	拿	ná	to take; to hold
6	手	shǒu	hand
7	里	lǐ	inside
8	本子	běnzi	notebook
9	出来	chūlái	to come out; out
10	写	xiě	to write
11	橡皮	xiàngpí	eraser
12	擦掉	cādiào	to wipe out
13	笔刀	bǐdāo	pencil sharpener
14	削	xuē	to cut; to sharpen (a pencil)
15	尺子	chǐzi	ruler
16	量	liáng	to measure
17	纸	zhǐ	paper
18	考	kǎo	to test; to give a test
19	可是	kěshì	but; however

把字典放回去，
把作业拿出来。
请把手机关上，
把名字写下来。

对不起，老师。
老师，对不起。
狗吃了我的书，
狗吃了我的笔，
作业也被狗吃了，
狗还说要吃你！

你这是什么狗？
带来让我瞧瞧。
要是我被狗吃了，
你赶紧把警察叫。

狗是金毛狗，
我叫它"海啸"。
要是你被狗吃了，
我不会让警察知道。
因为你被狗吃了，
我就不会被你考。

Key words

1	把	bǎ	a particle marking the following noun as a direct object
2	字典	zìdiǎn	dictionary
3	作业	zuòyè	homework assignment
4	手机	shǒujī	cell phone
5	关上	guānshàng	to turn off
6	被	bèi	by (used in a passive voice)
7	让	ràng	to let; to allow
8	瞧	qiáo	to take a look
9	要是	yàoshì	if
10	赶紧	gǎnjǐn	to hurry up
11	警察	jǐngchá	police
12	金毛狗	jīnmáo gǒu	golden retriever
13	海啸	hǎixiào	tsunami
14	因为	yīnwéi	because
15	会	huì	more likely
16	考	kǎo	to be tested; to test
17	所以	suǒyǐ	therefore
18	虽然	suīrán	although
19	如果	rúguǒ	if

yīn wéi wǒ ài nǐ
因为我爱你,

suǒ yǐ sòng nǐ huā
所以送你花。

ssuī rán nǐ ài wǒ
虽然你爱我,

kě shì wǒ xǐ huan tā
可是我喜欢他。

jí shǐ nǐ ài tā
即使你爱他,

wǒ hái shì yào sòng nǐ huā
我还是要送你花。

rú guǒ nǐ sòng wǒ huā
如果你送我花,

nǐ zhēn shì gè dà shǎ guā
你真是个大傻瓜!

jǐn guǎn nǐ xiào wǒ shǎ
尽管你笑我傻,

wǒ hái shì yào sòng nǐ huā
我还是要送你花!

yào shi nǐ sòng wǒ huā
要是你送我花,

wǒ jiù bǎ huā sòng gěi tā
我就把花送给他。

wèi le yào sòng nǐ huā
为了要送你花,

wǒ jiè le jiǔ kuài bā
我借了九块八。

zhēn de   jiǎ de
真的? 假的?

yuán lái nǐ zhēn ài wǒ ya
原来你真爱我呀!

Key words

1	连词	liáncí	conjunction
2	因为	yīnwéi	because
3	所以	suǒyǐ	therefore
4	送	sòng	to give a gift
5	虽然	suīrán	although
6	可是	kěshì	but
7	即使	jíshǐ	even if
8	还是	háishì	still
9	如果	rúguǒ	if
10	傻瓜	shǎguā	fool; idiot
11	尽管	jǐnguǎn	despite; even though
12	笑	xiào	to laugh
13	傻	shǎ	foolish
14	要是	yàoshì	if
15	就	jiù	just
16	为了	wèile	in order to
17	假	jiǎ	fake; false
18	原来	yuánlái	as it turns out
19	假如	jiǎrú	if

Always remember not to do what you have to find an excuse for.

péi wǒ liáo tiān er   zěn me yàng
陪 我 聊 天 儿，怎 么 样？

bù néng péi nǐ duō liáo   wǒ bì xū mǎ shàng zǒu
不 能 陪 你 多 聊，我 必 须 马 上 走。

bù rán shàng kè wǎn le   hái yào zhǎo jiè kǒu
不 然 上 课 晚 了，还 要 找 借 口。

péi wǒ xià qí   zěn me yàng
陪 我 下 棋，怎 么 样？

bù néng péi nǐ xià qí   wǒ bì xū mǎ shàng zǒu
不 能 陪 你 下 棋，我 必 须 马 上 走。

bù rán shàng kè wǎn le   hái yào zhǎo jiè kǒu
不 然 上 课 晚 了，还 要 找 借 口。

péi wǒ sàn bù   zěn me yàng
陪 我 散 步，怎 么 样？

bù néng péi nǐ sàn bù   wǒ bì xū mǎ shàng zǒu
不 能 陪 你 散 步，我 必 须 马 上 走。

bù rán huí jiā wǎn le   hái yào zhǎo jiè kǒu
不 然 回 家 晚 了，还 要 找 借 口。

péi wǒ tiào wǔ   zěn me yàng
陪 我 跳 舞，怎 么 样？

bù néng péi nǐ tiào wǔ   wǒ bì xū mǎ shàng zǒu
不 能 陪 你 跳 舞，我 必 须 马 上 走。

bù rán yòu yào ái mà   yīn wéi wǒ zhǎo bú dào jiè kǒu
不 然 又 要 挨 骂，因 为 我 找 不 到 借 口。

Key words

1	陪	péi	to accompany
2	聊天儿	liáotiānr	to chat
3	能	néng	to be able to
4	必须	bìxū	must; should
5	马上	mǎshàng	at once; immediately
6	走	zǒu	to walk; to leave
7	不然	bùrán	otherwise
8	上课	shàngkè	Class starts. to attend a class
9	晚	wǎn	late
10	找	zhǎo	to look for
11	借口	jièkǒu	an excuse
12	下棋	xiàqí	to play chess
13	散步	sànbù	to go for a walk
14	回家	huíjiā	to go home
15	跳舞	tiàowǔ	to dance
16	又	yòu	once again
17	挨骂	áimà	to be yelled at
18	因为	yīnwéi	because
19	找不到	zhǎobúdào	could not find

shàng shàng shàng　　xià xià xià
上 上 上 ， 下 下 下 ，

shàng shàng　　xià xià　　shàng shàng　　xià
上 上 ， 下 下 ， 上 上 ， 下 。

shàng lóu　　xià lóu
上 楼 ， 下 楼 ，

shàng lóu　　xià lóu
上 楼 ， 下 楼 。

shàng shān　　xià shān
上 山 ， 下 山 ，

shàng shān　　xià shān
上 山 ， 下 山 。

shàng kè　　xià kè
上 课 ， 下 课 ，

shàng kè　　xià kè
上 课 ， 下 课 。

shàng bān　　xià bān
上 班 ， 下 班 ，

shàng bān　　xià bān
上 班 ， 下 班 。

shàng chē　　xià chē
上 车 ， 下 车 ，

shàng chē　　xià chē
上 车 ， 下 车 。

shàng chuán　　xià chuán
上 船 ， 下 船 ，

shàng chuán　　xià chuán
上 船 ， 下 船 。

shàng shàng shàng　　xià xià xià
上 上 上 ， 下 下 下 ，

shàng shàng　　xià xià　　shàng shàng　　xià
上 上 ， 下 下 ， 上 上 ， 下 。

Key words

1	上楼	shànglóu	to go upstairs
2	下楼	xiàlóu	to go downstairs
3	上山	shàngshān	to climb a mountain
4	下山	xiàshān	to get off a mountain
5	上课	shàngkè	Class start. to attend a class
6	下课	xiàkè	Class is over.
7	上班	shàngbān	to go to work
8	下班	xiàbān	to get off work
9	上车	shàngchē	to get on a bus or any vehicle
10	下车	xiàchē	to get off a bus or any vehicle
11	上船	shàngchuán	to get on a boat
12	下船	xiàchuán	to get off a boat
13	上工	shànggōng	to go to work
14	上网	shàngwǎng	to surf the internet
15	上心	shàngxīn	to set one's heart on something
16	上菜	shàngcài	to serve food and dishes
17	上瘾	shàngyǐn	to become addicted
18	上帝	shàngdì	God
19	上路	shànglù	to hit the road

Word order in Chinese language is very similar to English word order. The basic word order is subject–verb–object, and most modifiers such as adjectives and adverbs precede the words they modify, except the verb compliments.

汉语语法口诀

主谓宾，定壮补。

主谓宾，定壮补。

主语，谓语，宾语，

定语，壮语，补语。

定语放在名词前面，

名词的前面，名词的前面。

宾语放在动词后面，

动词的后面，动词的后面。

壮语放在动词前面，

动词的前面，动词的前面。

补语放在动词后面，

动词的后面，动词的后面。

主谓宾，定壮补，

主谓宾，定壮补。

Key words

1	语法	yǔfǎ	grammar
2	口诀	kǒujué	chant
3	主语	zhǔyǔ	subject
4	谓语	wèiyǔ	predicate
5	宾语	bīnyǔ	object
6	定语	dìngyǔ	attributive
7	壮语	zhuàngyǔ	adverbial
8	补语	bǔyǔ	compliment
9	放在	fàngzài	to place something at
10	名词	míngcí	noun
11	前面	qiánmiàn	front; in front of
12	动词	dòngcí	verb
13	后面	hòumiàn	behind
14	形容词	xíngróngcí	adjective
15	连词	liáncí	conjunction
16	副词	fùcí	adverb
17	介词	jiècí	preposition
18	量词	liàngcí	measure word
19	助词	zhùcí	particle

nǐ cháng guò kǎo yā méi yǒu　nǐ yòng guò kuài zi méi yǒu
你 尝 过 烤 鸭 没 有？你 用 过 筷 子 没 有？

nǐ fàng guò biān pào méi yǒu　nǐ pá guò cháng chéng méi yǒu
你 放 过 鞭 炮 没 有？你 爬 过 长 城 没 有？

dào xiàn zài hái méi yǒu
到 现 在 还 没 有。

dào xiàn zài hái méi yǒu
到 现 在 还 没 有。

tóng xué men　wǒ wèn nǐ
同 学 们，我 问 你：

gǔ lǎo de zhōng guó zài nǎ lǐ
古 老 的 中 国 在 哪 里？

lǎo shī　lǎo shī　ràng wǒ shuō
老 师，老 师，让 我 说：

yáo yuǎn de dōng fāng yǒu zhōng guó
遥 远 的 东 方 有 中 国。

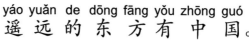

tóng xué men　zǐ xì kàn
同 学 们，仔 细 看：

zhōng guó dì tú xiàng gōng jī
中 国 地 图 象 公 鸡。

jī tóu cháo dōng　wěi cháo xī
鸡 头 朝 东，尾 朝 西。

dōng yǒu hǎi　dōng hǎi　huáng hǎi　rì běn hǎi
东 有 海：东 海，黄 海，日 本 海。

xī yǒu shān　gāo gāo de xǐ mǎ lā yǎ shān
西 有 山：高 高 的 喜 马 拉 雅 山。

wǔ shí liù gè mín zú zhù zài zhōng jiān
五 十 六 个 民 族 住 在 中 间。

wǔ shí liù gè mín zú zhù zài zhōng jiān
五 十 六 个 民 族 住 在 中 间。

Key words

1	尝	cháng	to taste
2	过	guò	a marker for past perfect tense
3	用	yòng	to use
4	筷子	kuàizi	chopsticks
5	放	fàng	to let go; to set off; to release
6	鞭炮	biānpào	fireworks
7	爬	pá	to climb
8	长城	chángchéng	Great Wall
9	古老	gǔlǎo	ancient
10	遥远	yáoyuǎn	far away
11	东方	dōngfāng	East
12	仔细	zǐxì	careful; carefully; attentive
13	地图	dìtú	map
14	像	xiàng	to look like; to resemble
15	公鸡	gōngjī	rooster
16	朝	cháo	towards; facing
17	尾	wěi	tail
18	山	shān	mountain; hill
19	民族	mínzú	nationality; ethnic group

What makes Chinese cuisine truly unique is the balance of ingredients. A proper Chinese meal always contains an equal division of fàn, grains and starches, and cài, meat and vegetables. The two are never mixed together, allowing each to retain its own unique characteristics. The balance between fàn and cài fits in with the Chinese belief in the importance of balance and harmony in every aspect of life. Perhaps this is the reason we find Chinese cuisine so comforting.

Rice is China's staple food. The Chinese word for rice is "fàn" which also means "meal." Rice may be served with any meal, and is eaten several times a day.

yī èr sān　　yī èr sān
一 二 三，一 二 三，

mán tóu　xī fàn　xián cài gān
馒 头，稀 饭，咸 菜 干。

miàn bāo　huā juǎn　chá yè dàn
面 包，花 卷，茶 叶 蛋，

má huā　yóu tiáo　qǐng yòng cān
麻 花，油 条，请 用 餐。

yī èr sān　　yī èr sān
一 二 三，一 二 三，

jiān yú　kǎo jī　chǎo jiè lán
煎 鱼，烤 鸡，炒 芥 兰。

miàn tiáo　jiǎo zi　dà mǐ fàn
面 条，饺 子，大 米 饭，

nán tián běi xián　dōng là xī suān
南 甜 北 咸，东 辣 西 酸。

Key words

1	馒头	mántou	steamed bun
2	稀饭	xīfàn	porridge
3	咸菜干	xiáncàigān	dried salty vegetables
4	面包	miànbāo	bread
5	花卷	huājuǎn	twisted ban
6	茶叶蛋	cháyèdàn	tea egg
7	麻花	máhuā	bread twists
8	油条	yóutiáo	fired donut
9	请用餐。	qǐngyòngcān	Please help yourself. (at a meal)
10	炒芥蓝	chǎojièlán	sautéd broccoli
11	面条	miàntiáo	noodle
12	饺子	jiǎozi	dumpling
13	大米饭	dàmǐfàn	cooked rice
14	南	nán	South
15	北	běi	North
16	咸	xián	salty
17	东	dōng	East
18	辣	là	spicy
19	西	xī	West

Styles and tastes of Chinese food vary by region and ethnic background.

The Eight Culinary Traditions of China are Shandong, Sichuan, Guangdong, Suzhou, Fujian, Zhejiang, Hunan and Anhui.

zhōng guó fàn hǎo chī　zhōng guó cài hǎo kàn
中国饭好吃，中国菜好看。

lǔ cài　chuān cài　yuè cài　sū cài
鲁菜，川菜，粤菜，苏菜，

sì dà cài xì lǐng xiān
四大菜系领先。

zhōng guó fàn hǎo chī　zhōng guó cài hǎo kàn
中国饭好吃，中国菜好看。

sè xiāng wèi xíng qì
色香味形器，

jiǎng jiū de shì měi gǎn
讲究的是美感。

nán mǐ běi miàn wéi zhǔ shí
南米北面为主食，

gè shì jiā yáo xià fàn
各式佳肴下饭。

nán tián běi xián　dōng là xī suān
南甜北咸，东辣西酸，

zhuō shàng de sè cǎi wú xiàn
桌上的色彩无限。

zhōng guó fàn hǎo chī　zhōng guó cài hǎo kàn
中国饭好吃，中国菜好看。

fàn hòu yì bēi qīng chá
饭后一杯清茶，

sài guò huó shén xiān
赛过活神仙。

Key words

1	菜系	càixì	styles of dishes
2	领先	lǐngxiān	to take the lead
3	色	sè	color
4	香	xiāng	fragrant
5	味	wèi	taste; smell
6	形	xíng	appearance
7	器	qì	utensils; containers
8	讲究	jiǎngjiū	to be particular about
9	美感	měigǎn	sense of beauty
10	主食	zhǔshí	main food (rice and noodles)
11	各式	gèshì	all kinds
12	佳肴	jiāyáo	delicious food; delicacies
13	色彩	sècǎi	color
14	无限	wúxiàn	unlimited
15	赛过	sàiguò	better than
16	活	huó	living
17	神仙	shénxiān	Immortal; fairy
18	绿色食品	lǜsè shípǐn	organic food
19	小吃	xiǎochī	snacks

入乡要问俗，

入国要问禁。

如果你在中国住，

学做中国人：

送礼别送钟和鞋，

吃梨不能分。

客人来了沏杯茶，

递上热毛巾。

双手递茶水，双手递名片，

浅茶，满酒，整盒烟，

照我说的办。

客人送你礼物，

别当面打开看。

放一边，道声谢：

谢兄弟，你太客气！

谢师傅，太麻烦你！

谢先生，谢夫人，

请请请，谢谢谢，

请请，谢谢，请请，谢！

Key words

1	禁忌	jīnjì	taboo
2	送礼	sònglǐ	to give a gift
3	梨	lí	pear
4	沏茶	qīchá	to make tea
5	递	dì	to pass something to somebody
6	毛巾	máojīn	towel
7	名片	míngpiàn	name card
8	浅	qiǎn	shallow (water); light (colors)
9	满	mǎn	full
10	整	zhěng	whole
11	照办	zhàobàn	to follow the rules
12	办	bàn	to do
13	当面	dāngmiàn	in someone's presence; in front of someone
14	道谢	dàoxiè	to express gratitude
15	兄弟	xiōngdì	brothers
16	师傅	shīfu	master; skilled worker
17	麻烦	máfan	to bother; troublesome
18	先生	xiānsheng	Mr.
19	夫人	fūren	Mrs.

Colors are important in communications. Feelings, ideas, and emotions can be expressed with colors. In the US, red is assigned to hate or anger. In China, red, corresponding with fire, symbolizes good fortune and joy. Red is found everywhere during Chinese New Year and other holidays and family gatherings. Get online to learn more about colors in different cultures around the world.

红色象征吉祥，

绿色象征繁荣。

红对联儿，红灯笼，

红福字，双喜红。

红喜事儿，红旗袍，

谢红娘，送红包，

还有一帮红人在分红！

黄色紫色是贵族色，

黑色白色是素色。

白喜事，送白包。

亲人穿白色孝衣戴黑纱，

他人穿黑色衣服戴白花。

红鲜花，白鲜花，

红白喜事红白包，

红白喜事红白花。

Key words

1	中华	zhōnghuá	China
2	颜色	yánsè	color
3	象征	xiàngzhēng	to symbolize
4	吉祥	jíxiáng	luck; auspicious
5	繁荣	fánróng	prosperous
6	灯笼	dēnglóng	lantern
7	红娘	hóngniáng	matchmaker
8	红人	hóngrén	icon
9	分红	fēnhóng	to divide a bonus
10	贵族	guìzú	royal or noble family
11	素色	sùsè	plain color
12	亲人	qīnrén	family and relatives
13	孝衣	xiàoyī	mourning clothes
14	戴	dài	to wear (accessories)
15	黑纱	hēishā	black mourning band
16	他人	tārén	other people
17	鲜花	xiānhuā	fresh flower
18	白事	báishì	funeral ceremony
19	红白喜事	hóngbáixǐshì	wedding and funeral ceremony

The four treasures in an ancient Chinese scholar's studio are brush pen, paper, ink stick and ink stone. Of course, classical scholars had more than just the four treasures in their studies.

wén fáng yǒu sì bǎo
文 房 有 四 宝,

qǐ yuán nán běi cháo
起 源 南 北 朝。

máo bǐ hé mò shuǐ
毛 笔 和 墨 水,

xuān zhǐ hé yàn tái
宣 纸 和 砚 台。

bǐ mò zhǐ yàn　　bǐ mò zhǐ yàn
笔 墨 纸 砚, 笔 墨 纸 砚,

jiù shì wén fáng sì bǎo
就 是 文 房 四 宝。

wén rén yǒu　　sì yì
文 人 有 "四 艺",

yuán yú sān huáng wǔ dì shí qī
源 于 三 皇 五 帝 时 期。

gǔ qín hé wéi qí
古 琴 和 围 棋,

shū fǎ hé huì huà
书 法 和 绘 画。

qín qí shū huà
琴 棋 书 画,

qín qí shū huà
琴 棋 书 画,

jiù shì wén rén　　sì yì
就 是 文 人 "四 艺"。

Key words

1	文房	wénfáng	study or studio; same as 书房
2	四宝	sìbǎo	four treasures in a study
3	起源	qǐyuán	origin; to originate
4	朝代	cháodài	dynasty
5	墨水	mòshuǐ	ink
6	宣纸	xuānzhǐ	rice paper
7	砚台	yàntái	ink stone
8	文人	wénrén	scholar
9	四艺	sìyì	four arts
10	源于	yuányú	to come from; to originate
11	南	nán	South
12	北	běi	North
13	古琴	gǔqín	an ancient musical instrument
14	围棋	wéiqí	Go
15	书法	shūfǎ	calligraphy
16	绘画	huìhuà	drawing; painting
17	象棋	xiàngqí	Chinese chess
18	跳棋	tiàoqí	Chinese checkers
19	西洋棋	xīyángqí	chess

北京老，北京好，

北京古迹真不少。

故宫天坛颐和园，

长城北海游不完。

北京新，北京好，

北京新楼真不少。

酒店商场写字楼，

奥运村和大鸟巢。

北京大，北京好，

北京车辆真不少。

路上堵车是常事儿，

不如骑车到处跑。

北京美，北京好，

北京老外真不少。

男女老少逛北京，

人人都夸北京好！

Key words

1	古迹	gǔjì	historical sites
2	故宫	gùgōng	Forbidden City
3	天坛	tiāntán	Temple of Heaven
4	颐和园	yìhéyuán	Summer Palace
5	北海	běihǎi	Beihai Park
6	游	yóu	to tour
7	完	wán	to finish
8	酒店	jiǔdiàn	hotel or restaurant
9	商场	shānchǎng	shopping mall
10	写字楼	xiězìlóu	office building
11	奥运村	àoyùncūn	Olympic village
12	鸟巢	niǎocháo	bird-nest
13	车辆	chēliàng	vehicle
14	堵车	dǔchē	traffic jam
15	不如	bùrú	no better than
16	到处	dàochù	everywhere
17	老外	lǎowài	foreigner (a nickname for foreigners)
18	逛	guàng	to stroll
19	夸	kuā	to praise

cháng chéng zài chūn qiū zhàn guó shí chū xiàn
长城在春秋战国时出现，

chǔ qín hàn míng yǒu liǎng qiān duō nián
楚秦汉明有两千多年。

qín cháng chéng　hàn cháng chéng
秦长城，汉长城，

běi suí cháng chéng　míng cháng chéng
北隋长城，明长城。

cháng chéng dōng qǐ liáo dōng hǔ shān
长城东起辽东虎山，

xī dào gān sù de jiā yù guān
西到甘肃的嘉峪关。

quán cháng liù qiān qī bǎi duō gōng lǐ
全长六千七百多公里，

yòng de shì qīng shí hé qīng zhuān
用的是青石和青砖。

bǎi zuò xióng guān ài kǒu hé fēng huǒ tái
百座雄关隘口和烽火台，

níng jù zhe gǔ rén de zhì huì hé xuè hàn
凝聚着古人的智慧和血汗。

cháng chéng wān yán zài shān lǐng zuì gāo chù
长城蜿蜒在山岭最高处，

xiàng shì jù lóng zài shǒu hé shān
像是巨龙在守河山。

Key words

1	长城	chángchéng	Great Wall
2	出现	chūxiàn	to appear
3	嘉峪关	jiāyùguān	Jiayuguan in Gansu
4	全	quán	whole
5	公里	gōnglǐ	kilometer
6	青	qīng	greenish black
7	砖	zhuān	brick
8	雄关	xióngguān	Xiongguan
9	隘口	àikǒu	narrow mountain pass
10	烽火台	fēnghuǒtái	fire towers on the Great Wall
11	凝聚	níngjù	to condense
12	古人	gǔrén	people of ancient times
13	智慧	zhìhuì	wisdom
14	血汗	xuèhàn	blood, sweat and tears
15	蜿蜒	wānyán	to zigzag
16	山岭	shānlǐng	mountain ridge
17	巨龙	jùlóng	huge dragon
18	守	shǒu	to guard
19	河山	héshān	river and mountain; country

丝绸之路长又长，

连着中国和西方。

丝绸之路长又长，

骆驼走在沙漠上。

沙漠上，驼铃响，

叮当，叮当，叮叮当，

叮当，叮当，叮叮当。

骆驼驮的是什么？

驮丝绸，驮瓷器，

金器铁器和银器，

青金石，和田玉，

还有皮毛香料和乐器。

丝绸之路长又长，

连着中国和西方。

丝绸之路长又长，

骆驼走在沙漠上。

沙漠上，驼铃响，

叮当，叮当，叮叮当。

叮当，叮当，叮叮当。

Key words

1	丝绸	sīchóu	silk
2	之	zhī	literary equivalent of 的
3	连	lián	to link up; to connect
4	西方	xīfāng	West
5	骆驼	luòtuó	camel
6	沙漠	shāmò	desert
7	铃	líng	bell
8	响	xiǎng	to ring
9	驮	tuó	to carry on one's back
10	瓷器	cíqì	porcelain
11	铁	tiě	iron
12	金	jīn	gold
13	银	yín	silver
14	器	qì	equipment
15	和田玉	hétiányù	Hetian jade of Xinjiang
16	皮毛	pímáo	fur
17	香料	xiāngliào	spice
18	乐器	yuèqì	musical instrument
19	新疆	xīnjiāng	Xinjiang

China is considered the longest continuous civilization. Some historians believe 6000 B.C. marks the beginning of Chinese civilization.

zuì gāo de shān fēng shì zhū mù lǎng mǎ fēng
最高的山峰是珠穆朗玛峰，

zuì gāo de gōng diàn shì bù dá lā gōng
最高的宫殿是布达拉宫。

zuì zǎo de bīng shū shì sūn zi bīng fǎ
最早的兵书是《孙子兵法》，

zuì zǎo de shī jí shì shī jīng
最早的诗集是《诗经》。

zuì cháng de hé liú shì cháng jiāng
最长的河流是长江，

zuì cháng de chéng qiáng shì cháng chéng
最长的城墙是长城，

zuì dà de xiá gǔ shì yǎ lǔ zàng bù
最大的峡谷是雅鲁藏布，

zuì dà de guǎng chǎng zài běi jīng
最大的广场在北京。

zuì xī yǒu de dòng wù shì xióng māo
最稀有的动物是熊猫，

zuì hóng dà de shí kū shì mò gāo
最宏大的石窟是莫高。

zuì gǔ lǎo de yǔ yán shì hàn yǔ
最古老的语言是汉语，

zuì zhù míng de shí gǒng qiáo shì zhào zhōu qiáo
最著名的石拱桥是赵州桥。

Key words

1	之	zhī	literary equivalent of 的
2	最	zuì	the most; ---est
3	高	gāo	tall; high
4	山峰	shānfēng	mountain peak
5	宫殿	gōngdiàn	palace
6	兵书	bīngshū	military books
7	诗集	shījí	poetry books
8	河流	héliú	river
9	城墙	chéngqiáng	wall
10	长城	chángchéng	Great Wall
11	峡谷	xiágǔ	canyon
12	广场	guǎngchǎng	public square
13	稀有	xīyǒu	rare
14	宏大	hóngdà	great; massive
15	石窟	shíkū	rock cave
16	古老	gǔlǎo	ancient
17	语言	yǔyán	language
18	著名	zhùmíng	famous
19	石拱桥	shígǒngqiáo	an arched stone-bridge

中华有四大古都：

西安，洛阳，南京，北京。

中华有四大古城：

丽江，平遥，歙县，阆中。

中华有四大名著：

西游，三国，水浒，红楼梦。

中华有四大火炉城：

武汉，长沙，重庆，南京。

中华有四大发明：

造纸，印刷，火药，指南。

中华有四大名亭：

湖心，爱晚，醉翁，陶然。

中华有四大学派：

儒家，道家，墨家，法家。

中华有四大节庆：

春节，中秋，端午，清明。

中华有四大名山：

黄山，华山，庐山，泰山。

中华有四大别称：

神州，九州，华夏，中原。

中华有四大国粹：

京剧，中药，烹饪，国画。

中华有四大奇观：

云南石林，桂林山水，

长江三峡，吉林雾凇。

中华有四大菜系：

鲁，川，苏，粤。

中华有四大名兽：

龙，凤，麟，龟。

中华有四大江河：

长江，黄河，珠江，黑龙江。

中华有四大高原：

青藏，内蒙，黄土，云贵。

Key words

1	中华	zhōnghuá	China
2	古都	gǔdū	ancient capital city
3	名著	míngzhù	masterpiece
4	火炉	huǒlú	stove
5	发明	fāmíng	to invent; invention
6	印刷	yìnshuā	to print; printing
7	亭	tíng	pavilion
8	节庆	jiéqìng	festival
9	别称	biéchēng	nickname
10	国粹	guócuì	national treasure
11	烹饪	pēngrèn	to cook; cooking
12	奇观	qíguān	unique scenery
13	兽	shòu	animal
14	龙	lóng	dragon
15	凤	fèng	phoenix
16	麟	lín	unicorn
17	龟	guī	tortoise
18	江河	jiānghé	river
19	高原	gāoyuán	plateau

China is the fourth largest country in the world. China is 12 hours ahead of the United States. Despite its size, all of China is in one time zone. You may not have known this but the compass, paper, gun powder, and printing are all Chinese inventions! The dragon is perhaps the most powerful, respected and lucky symbol of Chinese culture. It represents immortality, fertility, happiness and prosperity. The dragon is widely used to decorate buildings, chairs, jewelry, statues and clothing.

北京有故宫长城天坛颐和园，

西安有古城墙和秦皇陵。

长江三峡两岸悬崖峭壁，

西藏的布达拉宫气贯苍穹。

桂林的峰林漓江甲天下，

浙江的湖光山色誉美名。

苏州的园林，周庄古镇，

台湾阿里山日月潭山水胜景。

四川的九寨沟驰名中外，

湖南的张家界人杰地灵。

云南丽江古城如诗如画，

海南岛的椰风海韵万种风情。

Key words

1	游	yóu	to tour
2	古城墙	gǔchéngqiáng	ancient city wall
3	秦皇陵	qínhuáng líng	Emperor Qin's Tomb
4	岸	àn	bank; shore
5	悬崖峭壁	xuányáqiàobì	cliff
6	气贯苍穹	qìguàncāngqióng	magnificent
7	漓江	líjiāng	River Li
8	甲天下	jiǎtiānxià	world-renowned
9	湖	hú	lake
10	光	guāng	light
11	誉	yù	to praise
12	园林	yuánlín	garden; park
13	山水胜景	shānshuǐshèngjǐng	beautiful scenery
14	驰名中外	chímíngzhōngwài	famous both at home and abroad
15	人杰地灵	rénjiédìlíng	hero and spirit of the place
16	古城	gǔchéng	ancient city
17	如诗如画	rúshīrúhuà	poetic and picturesque
18	椰子	yēzi	coconut
19	万种风情	wàngzhǒngfēngqíng	ten thousand sensations

中国面积有多大？

九百六十万平方公里那么大。

中国边界有多长？

两万二陆界，一万八海疆。

中国有二十三个省，

五个自治区，

四个直辖市，

两个特别行政区，

周边还有十五个国家做邻居。

中国地势象阶梯：

西部高，东部低。

中国人口十三亿，

五十六个民族里，

只有汉族才要计划生育。

长江长，黄河黄，

横贯着中华大地，

哺育着中华儿女。

Key words

1	地理	dìlǐ	geography
2	面积	miànjī	area
3	平方	píngfāng	square (feet, mile, etc.)
4	边界	biānjiè	border
5	省	shěng	province
6	直辖市	zhíxiáshì	municipality
7	自治区	zìzhìqū	autonomous region
8	特别	tèbié	special
9	行政	xíngzhèng	administrative
10	区	qū	district; region; zone
11	周边	zhōubiān	surrounding
12	邻居	línjū	neighbor
13	地势	dìshì	terrain
14	阶梯	jiētī	ladder
15	民族	mínzú	ethnic group
16	计划生育	jìhuàshēngyù	family planning
17	横贯	héngguàn	to cross
18	中华	zhōnghuá	China
19	哺育	bǔyù	to nurture

nián sān shí er　　chú xī yè
年 三 十 儿，除 夕 夜，

jiā rén yì qǐ lái shǒu yè
家 人 一 起 来 守 夜。

chī píng guǒ　　píng ān guǒ
吃 苹 果，平 安 果。

chī hóng zǎo　　chūn lái zǎo
吃 红 枣，春 来 早。

chī xìng rén er　　xìng fú rén er
吃 杏 仁 儿，幸 福 人 儿。

chī nián gāo　　bù bù gāo
吃 年 糕，步 步 高。

cuō má jiāng　　xià tiào qí
搓 麻 将，下 跳 棋。

fā duǎn xìn　　dǎ duì zi
发 短 信，打 对 子。

kàn chūn wǎn　　bāo jiǎo zi
看 春 晚，包 饺 子。

fàng biān pào　　xíng dà lǐ
放 鞭 炮，行 大 礼。

xīn nián dào la　　xīn nián dào
新 年 到 啦！新 年 到！

bà mā gěi wǒ dà hóng bāo
爸 妈 给 我 大 红 包！

wǒ zhù bà mā　　xīn nián hǎo
我 祝 爸 妈：新 年 好！

wǒ zhù jiā rén　　xīn nián hǎo
我 祝 家 人：新 年 好！

Key words

1	除夕	chúxī	Chinese New Year's Eve
2	夜	yè	night
3	守夜	shǒuyè	to stay up late at the New Year's Eve
4	苹果	píngguǒ	apple
5	平安	píng'ān	safe and sound
6	枣	zǎo	dates
7	杏仁	xìngrén	almond
8	幸福	xíngfú	happiness
9	年糕	niángāo	New Year's cake
10	步	bù	step
11	搓麻将	cuō májiàng	to play majiang
12	下	xià	to play
13	跳棋	tiàoqí	Chinese checkers
14	打对子	dǎ duìzi	to play poker
15	春晚	chūnwǎn	Spring Festival Gala
16	放	fàng	to set off; to let go of
17	鞭炮	biānpào	firecrackers
18	行礼	xínglǐ	to salute; to bow
19	红包	hóngbāo	red envelope (with money inside)

yī yuè yī hào shì yuán dàn
一月一号是元旦，

zhēng yuè chū yī shì xīn nián
正月初一是新年。

chūn jié dào qián yào sǎo chén
春节到前要扫尘，

gān gān jìng jìng yíng xīn chūn
干干净净迎新春。

tiē chūn lián　qū guǐ shén
贴春联，驱鬼神，

dào tiē chūn fú yì yì shēn
倒贴春福意义深。

piāo liàng nián huà　qiáng shàng guà
漂亮年画儿墙上挂，

niǎo yǔ huā xiāng hé mén shén
鸟语花香和门神。

chú xī yè　yào shǒu yè
除夕夜，要守夜，

jiā rén tuán jù qìng xīn chūn
家人团聚庆新春。

guò nián la　guò nián la
过年啦！过年啦！

bāo jiǎo zi　chī nián gāo
包饺子，吃年糕，

fàng biān pào　gěi hóng bāo
放鞭炮，给红包，

wǔ lóng wǔ shī cǎi gāo qiāo
舞龙舞狮踩高跷。

guò nián hǎo　chūn jié hǎo
过年好！春节好！

gōng xǐ fā cái　bù bù gāo
恭喜发财！步步高！

Key words

1	元旦	yuándàn	New Year; January 1st
2	初一	chūyī	the first day of the lunar month / New Year's Day
3	春节	chūnjié	Spring Festival; Chinese New Year
4	活动	huódòng	activity
5	扫尘	sǎochén	clean out the dust
6	干净	gānjìng	clean
7	贴	tiē	to post
8	春联	chūnlián	Spring Festival couplets
9	驱	qū	to chase away
10	鬼神	guǐshén	supernatural beings
11	意义	yìyi	meaning
12	漂亮	piàoliang	pretty; beautiful
13	除夕	chúxī	Chinese New Year's Eve
14	守夜	shǒuyè	to stay up late at the New Year's Eve
15	团聚	tuánjù	to gather together
16	年糕	niángāo	New Year's cake
17	鞭炮	biānpào	fireworks
18	恭喜	gōngxǐ	to congratulate
19	发财	fācái	to get rich

zhēng yuè shí wǔ yuè liàng yuán
正 月 十 五 月 亮 圆。

yuè liàng yuán ya   yuè liàng yuán
月 亮 圆 呀, 月 亮 圆!

mā ma gěi wǒ zhǔ tāng yuán
妈 妈 给 我 煮 汤 圆。

zhǔ tāng yuán ya   zhǔ tāng yuán
煮 汤 圆 呀, 煮 汤 圆!

huā shēng tāng yuán tián yòu xiāng
花 生 汤 圆 甜 又 香。

tián yòu xiāng ya   tián yòu xiāng
甜 又 香 呀, 甜 又 香!

dòu shā tāng yuán xiāng yòu tián
豆 沙 汤 圆 香 又 甜。

xiāng yòu tián ya   xiāng yòu tián
香 又 甜 呀, 香 又 甜!

chī le tāng yuán qù shǎng dēng
吃 了 汤 圆 去 赏 灯。

qù shǎng dēng ya   qù shǎng dēng
去 赏 灯 呀, 去 赏 灯!

cāi le dēng mí yòu duì duì lián
猜 了 灯 谜 又 对 对 联。

duì duì lián ya   duì duì lián
对 对 联 呀, 对 对 联!

bà mā yào wǒ xǔ gè yuàn
爸 妈 要 我 许 个 愿:

wǒ zhù jiā rén yǒng tuán yuán
我 祝 家 人 永 团 圆。

wǒ zhù jiā rén yǒng tuán yuán
我 祝 家 人 永 团 圆!

Key words

1	正月	zhēngyuè	First month of the lunar calendar
2	月亮	yuèliàng	moon
3	圆	yuán	round
4	煮	zhǔ	to boil
5	汤圆	tāngyuán	boiled balls made of glutinous rice flour
6	花生	huāshēng	peanut
7	甜	tián	sweet
8	香	xiāng	fragrant
9	豆沙	dòushā	bean paste
10	赏	shǎng	to enjoy; to admire
11	灯	dēng	lights
12	猜	cāi	to guess
13	灯谜	dēngmí	riddles written on lanterns
14	对	duì	to answer; to match
15	对联	duìlián	couplets
16	许愿	xǔyuàn	to make a wish
17	祝	zhù	to wish
18	永	yǒng	forever; always
19	团圆	tuányuán	to be together

Qing Ming Festival is the traditional Chinese holiday celebrated on the 106th day after the winter solstice, which occurs on April 4 or April 5 of the solar calendar. It marks the middle of spring and is a sacred day of the dead.

qīng míng jié shì nǎ yì tiān
清 明 节 是 哪 一 天？

sì yuè sì sì yuè wǔ
四 月 四？ 四 月 五？

sì yuè wǔ sì yuè liù
四 月 五？ 四 月 六？

shì sì shì wǔ hái shì liù
是 四 是 五 还 是 六？

qīng míng jié jì zǔ xiān
清 明 节，祭 祖 先：

shàng xiāng chā liǔ xiàn jiǔ guǒ
上 香 插 柳 献 酒 果，

jiā rén yì qǐ shāo zhǐ qián
家 人 一 起 烧 纸 钱。

kē gè tóu xíng gè lǐ
磕 个 头， 行 个 礼，

lǜ yě qíng tiān yǒu bái yān
绿 野 晴 天 有 白 烟。

qīng míng jié shì nǎ yì tiān
清 明 节 是 哪 一 天？

sì yuè sì sì yuè wǔ
四 月 四？ 四 月 五？

sì yuè wǔ sì yuè liù
四 月 五？ 四 月 六？

shì sì shì wǔ hái shì liù
是 四 是 五 还 是 六？

Key words

1	清明节	qīngmíngjié	Qingming Festival
2	还是	háishì	or (used in an alternative question)
3	祭	jì	to offer sacrifices (to one's ancestors)
4	祖先	zǔxiān	ancestor
5	上香	shàngxiāng	to burn incense
6	插	chā	to insert
7	柳	liǔ	willow
8	献	xiàn	to offer; to present
9	烧	shāo	to burn
10	纸钱	zhǐqián	ritual money for the dead
11	磕头	kētóu	to kowtow
12	行礼	xínglǐ	to salute
13	野	yě	field
14	晴天	qíngtiān	clear sky
15	烟	yān	smoke
16	扫墓	sǎomù	to sweep the tombs
17	祭拜	jìbài	to worship the dead
18	踏青	tàqīng	to hike
19	放风筝	fàng fēngzheng	to fly a kite

Duanwu Festival, known as Dragon Boat Festival, is a traditional Chinese holiday. The Duanwu Festival is a lunar holiday, occurring on the fifth day of the fifth lunar month. Dragon Boat Festival originated in the Zhou Dynasty, in honor of a man named Qu Yuan, a poet and statesman, and a minister to the Zhou Emperor. Check the story about Qu Yuan online.

wǔ yuè chū wǔ duān wǔ jié
五月初五端午节。

duān wǔ jié　bié míng duō
端午节，别名多：

duān yáng jié　wǔ yuè jié
端阳节，五月节，

tiān zhōng jié　lóng zhōu jié
天中节，龙舟节。

jié fēn duān wǔ zì shuí yán
节分端午自谁言？

wàn gǔ chuán wén wèi qū yuán
万古传闻为屈原。

duān wǔ jié　xí sú duō
端午节，习俗多：

chī zòng zǐ　sài lóng zhōu
吃粽子，赛龙舟，

yǐn xióng huáng　qū bìng xié
饮雄黄，祛病邪。

guà cǎo yào　dài xiāng bāo
挂草药，带香包，

qǐng zhōng kuí　bài zhōng kuí
请钟馗，拜钟馗，

qí fú zhèn zhái bì guǐ xié
祈福镇宅避鬼邪。

Key words

1	端午节	duānwǔ jié	Dragon Boat Festival 5th day of the 5th lunar month
2	万古	wàngǔ	ancient
3	传闻	chuánwén	rumor
4	为	wèi	for; in order to
5	习俗	xísú	custom
6	粽子	zòngzi	glutinous rice and choice of filling wrapped in leaves and steamed
7	赛	sài	to compete; to race
8	龙舟	lóngzhōu	dragon boat
9	饮	yǐn	to drink
10	雄黄	xiónghuáng	xionghuang liquor
11	驱	qū	to chase away
12	病邪	bìngxié	illness and evil spirit
13	挂	guà	to hang
14	草药	cǎoyào	herbs; herbal medicine
15	香包	xiāngbāo	a small bag filled with herb fragrance
16	拜	bài	to worship
17	祈福	qífú	to pray for blessings
18	宅	zhái	residence
19	避	bì	to avoid

Mid-Autumn Festival, also known as Moon Festival, is the second grandest festival after the Spring Festival in China. It falls on the 15th day of the 8th lunar month according to the Chinese calendar. The Mid-Autumn Festival is an evening celebration when families gather together to light lanterns, eat moon cakes and appreciate the round moon. On that night, the moon appears to be at its roundest and brightest. The full moon is a symbol for family reunion, which is why the festival is known as the Festival of Reunion.

中秋节，中秋节，
八月十五中秋节。
中秋节，中秋节，
我们回家去拜月。

中秋夜，月亮圆，
家人一起拜月圆。
苹果圆，桃子圆，
杏子李子桔子圆。
红枣圆，葡萄圆，
橙子香瓜西瓜圆。
月饼圆，月亮圆，
全家一起庆团圆。

中秋节，中秋节，
八月十五中秋节。
吃了水果吃月饼，
全家一起赏圆月。

Key words

1	中秋节	zhōngqiū jié	Mid-Autumn Festival
2	拜	bài	to worship; to visit
3	月	yuè	moon; month
4	夜	yè	night
5	圆	yuán	round
6	苹果	píngguǒ	apple
7	桃子	táozi	peach
8	杏子	xìngzi	apricot
9	李子	lǐzi	plum
10	桔子	júzi	tangerine
11	枣	zǎo	dates
12	葡萄	pútao	grape
13	橙子	chéngzi	orange
14	香瓜	xiānguā	melon
15	西瓜	xīguā	watermelon
16	月饼	yuèbǐng	moon-cake
17	月亮	yuèliàng	moon
18	水果	shuǐguǒ	fruit
19	赏	shǎng	to admire; to enjoy

Chongyang Jie falls on the ninth day of the ninth month of the Chinese lunar calendar; hence it gets its name as the Double Ninth Festival.

今天几月几号？
农历九月初九。
今天是重阳节，
今天是九九节。
今天是老人节，
今天是敬老节。

重阳节，九九节，
蹬高爬山过大节。
请吃重阳糕，
祝您步步高。
请喝菊花酒，
祝您吉祥有。
赏菊花，咏菊花，
插茱萸，避病邪。

重阳节，九九节。
九九久久，天长地久。
九九久久，长寿永久。
九九久久，健康长久。
九九久久，好运长有。

Ms. Gao's Rhymes for Learning Chinese

Key words

1	重阳节	chóngyáng jié	Double Ninth Festival
2	农历	nónglì	lunar calendar
3	敬	jìng	to show respect
4	蹬	dēng	to climb
5	过节	guòjié	to celebrate a holiday
6	糕	gāo	cake
7	步	bù	step
8	菊花	júhuā	chrysanthemum
9	吉祥	jíxiáng	auspicious; luck
10	赏	shǎng	to admire; to appreciate
11	咏	yǒng	to sing; to chant (poem)
12	插	chā	to insert
13	茱萸	zhūyú	herb
14	病邪	bìngxié	illness and evil spirit
15	久	jiǔ	long time
16	天长地久	tiānchángdìjiǔ	ever-lasting
17	长寿	chángshòu	longevity
18	健康	jiànkāng	healthy
19	好运	hǎoyùn	good luck

With the world becoming a global village, Christmas is now celebrated in many countries around the world.

圣诞夜，下雪啦！

圣诞树上的灯亮啦！

小红灯，小绿灯，

一闪一闪亮晶晶。

炉旁挂着圣诞袜，

圣诞老人要来啦！

圣诞节，来到啦！

全家一起庆祝啦！

圣诞礼物，圣诞卡，

圣诞祝福，圣诞花，

圣诞晚餐，圣诞歌，

圣诞火鸡烤好啦！

来来来，请坐下，

圣诞晚餐开始啦！

来来来，请坐下，

圣诞晚餐开始啦！

Key words

1	圣诞节	shèngdàn jié	Christmas
2	圣诞夜	shèngdànyè	Christmas Eve
3	灯	dēng	light
4	亮	liàng	to shine; bright
5	闪	shǎn	to flash; to spark
6	炉	lú	stove; fireplace
7	旁	páng	next to
8	挂	guà	to hang
9	圣诞袜	shèngdàn wà	Christmas stockings
10	圣诞老人	shèngdàn lǎorén	Santa Claus
11	全家	quánjiā	whole family
12	庆祝	qìngzhù	to celebrate
13	礼物	lǐwù	gift
14	卡	kǎ	card
15	祝福	zhùfú	to make a wish; Best regards
16	晚餐	wǎncān	dinner
17	歌	gē	song
18	火鸡	huǒjī	turkey
19	开始	kāishǐ	to begin; to start

As the clock strikes twelve on December 31ˢᵗ, the world is immersed in celebration. Different parts of the world have their own exclusive customs, traditions and rituals to welcome the New Year with zest, positivity, and hope of good luck to come. Variety adds spice. For fun, research how different parts of the world celebrate the New Year.

我是一个大雪人，
我站在校门口。
我头戴一顶新年帽，
我见人就招手。
老师学生走过来，
大家握握手：
新年快乐！新年好！
好运人人有。

我是一个大雪人，
我站在家门口。
我手拿一个大彩球，
我见人就招手。
亲朋好友走过来，
大家握握手：
祝你快乐！新年好！
好运人人有。

Key words

1	雪人	xuěrén	snow-man
2	站	zhàn	to stand
3	门口	ménkǒu	doorway
4	头	tóu	head
5	戴	dài	to wear (accessories)
6	帽子	màozi	hat
7	招手	zhāoshǒu	to wave
8	走	zǒu	to walk
9	过来	guòlái	to come over here
10	握手	wòshǒu	to shake hands
11	运气	yùnqì	luck
12	人人	rénrén	everyone
13	拿	ná	to hold; to take
14	彩球	cǎiqiú	colorful balloon or ball
15	亲朋好友	qīnpénghǎoyǒu	relatives and friends
16	祝	zhù	to wish
17	新年晚会	xīnniánwǎnhuì	New Year party
18	庆祝	qìngzhù	to celebrate
19	决心	juéxīn	resolution

Do you make New Year's resolutions? What is a *resolution*? A resolution is a promise. It is a promise that you make to yourself! It is a tradition for people to make resolutions at the beginning of a new year. So, what is your resolution for the New year?

xīn xué nián　　xīn kāi shǐ
新学年，新开始，

xīn shū　　xīn bǐ　　xīn lǎo shī
新书，新笔，新老师。

zài xué xiào　　　wǒ rèn zhēn tīng jiǎng　　bù hú nào
在学校：我认真听讲，不胡闹，

bù zhǎo jiè kǒu　　bù chí dào
不找借口，不迟到。

gēn tóng xué　　　wǒ rè xīn bāng máng　　bù chǎo jià
跟同学：我热心帮忙，不吵架，

bù qī fù rén　　shuō zhēn huà
不欺负人，说真话。

zài jiā li　　　wǒ shōu shí wò shì　　xǐ fàn wǎn
在家里：我收拾卧室，洗饭碗，

zhào gù dì mèi　　bù tōu lǎn
照顾弟妹，不偷懒。

nǐ men kàn　　wǒ de jué xīn zěn me yàng
你们看，我的决心怎么样？

shén me　　　nǐ shuō shén me
什么？你说什么？

nǐ shuō wǒ měi nián de jué xīn dōu yí yàng
你说我每年的决心都一样？！

Key words

1	决心	juéxīn	to determine; resolution
2	学年	xuénián	school year
3	开始	kāishǐ	to start
4	认真	rènzhēn	conscientious
5	听讲	tīngjiǎng	to listen to a lecture
6	胡闹	húnào	to fool around; to cause trouble
7	借口	jièkǒu	an excuse
8	迟到	chídào	to arrive late
9	热心	rèxīn	warm-hearted
10	帮忙	bāngmáng	to help
11	吵架	chǎojià	to quarrel
12	欺负	qīfù	to bully
13	假话	jiǎhuà	a lie
14	收拾	shōushi	to tidy up; to sort out
15	卧室	wòshi	bedroom
16	碗	wǎn	bow
17	照顾	zhàogù	to take care of; to look after
18	偷懒	tōulǎn	to goof off; to be lazy
19	每年	měinián	every year

打竹板儿，走上台，
我是一个会说汉语的小老外。
我汉语说得怎么样?
是不是说得非常棒！

你汉语说得真挺棒！
象是你在中国生在中国长。
学汉语，难难难！
听说汉字有八万，
啥时才能学得完?

汉语其实很简单，
只要学会三千五百字就玩得转。
你不用记名词是男还是女，
动词和形容词永远不用变。

学汉语，难难难！
四声难说又难辨。
我问你。我吻你。
要是说错了怎么办?

四声其实很简单，
全看你是怎么练。
千万别张着大嘴 Ā Á Ǎ À 地喊，
几首歌谣保你汉语说得字正腔圆。

学汉语，难难难！
汉字笔画难分辨。
钩朝左，钩朝右，
田甲申由，猜不透！

写汉字，很简单。
关键看你怎么练。
写字像是画图画儿，
字里有：故事感受和理念。
心上有你尊敬您，手下有目就是看，
少出力气就会劣，让书本长草是笨蛋。

听你这么一说呀，
汉语好像倍儿简单！
发音好学，字好练，
意思好记，形好辩，
横竖撇捺没啥难。

汉语真的很简单。
一个字，一个音儿，
词形永远不改变。
我要在此大声喊：
西法日意德，
汉语最好学！

西法日意德，汉语最好学！
西法日意德，汉语最好学！

Key words

1	竹板	zhúbǎn	bamboo clappers used in folk theater
2	老外	lǎowài	foreigner (nickname)
3	棒	bàng	awesome
4	象	xiàng	it seems; as if
5	其实	qíshí	In fact
6	简单	jiǎndān	simple
7	时态	shítài	(verb) tense
8	变	biàn	to change
9	辨	biàn	to distinguish; to recognize
10	吻	wěn	to kiss
11	练	liàn	to practice
12	保	bǎo	to guarantee; to ensure
13	字正腔圆	zìzhèngqiāngyuán	beautiful accent
14	分析	fēnxi	to analyze
15	感受	gǎnshòu	to feel; feelings
16	理念	lǐniàn	concept
17	尊敬	zūnjìng	to respect
18	笨蛋	bèndàn	fool; idiot
19	喊	hǎn	to shout; to yell

Don't be stressed out if you can't recall some of the words or phrases that you have learned. Mistakes are necessary in order to advance. Sometimes learning from a mistake instead of learning the first time will make that lesson stick in your head. Eventually, everything will fall into place.

造句是我们常做的作业。其实，造句一点儿都不难，难的是老师的欣赏水平有限。有时候，我们把该用的字都用上了，可是高老师硬是二话不说，红笔一挥，扣分儿！下面，我说几个给你们听听，你们评个理儿，我们到底哪儿错了?!

1）先生：我妈**先生**了我，后生了我弟弟。

2）天真：今天的**天真**热。

3）如果：我觉得汽水不**如果**汁好喝。

4）吃香：儿子，好好学，将来当大官儿，**吃香**的，喝辣的。

5）见外：在中国，小贩一**见外**国人就抬价。

6）发现，发明：我爸**发现**了我妈，后来，他们**发明**了我。

7）大眼瞪小眼：我妈眼睛大，我眼睛小。我妈瞪我的时候，就是"**大眼瞪小眼**"。

你们看，这么好的句子！可是，高老师心真狠，硬是红笔一挥，零分儿！

还有，我敢说我们每个人都写过一篇作文，题目是《我的家》。我的好朋友大伟是这样写的：

我家有三口人：老爸老妈和我。每天早上七点半，我们都分道扬镳，各奔前程。晚上六点我们都回头是岸，殊途同归。我爸是律师。他每天在法庭上强词夺理，嫁祸于人。我妈是小贩儿。她每天嬉皮笑脸，来者不拒。而且，她还老王卖瓜，自卖自夸。我是学生。我每天在教室里画地为牢，艰苦奋斗，度日如年。平常，我们仨臭气相投，彼此爱不释手。可是，每次我汉语考得不好，老爸都会狼心狗肺地把我打得五体投地。每当这时，我妈老是袖手旁观，从不见义勇为。

你们看，多好的作文啊！可是，高老师二话不说，硬是红笔一挥，给了大伟一个零分儿！你们说，这合理吗！不幸的是，大伟又让他老爸打得五体投地啦！

Key words

1	扣分	kòufēn	to take points off (a test, quiz)
2	评理	pínglǐ	to judge
3	吃香喝辣	chīxiānghēlà	very popular
4	抬价	táijià	to raise the price
5	分道扬镳	fēndàoyángbiāo	to go separate ways
6	各奔前程	gèbēnqiánchéng	Each goes his/her own way.
7	殊途同归	shūtútóngguī	Different route leads to the same destination.
8	强词夺理	qiángcíduólǐ	to twist words while arguing
9	嫁祸于人	jiàhuòyúrén	to convey the misfortune to others
10	嘻皮笑脸	xīpíxiàoliǎn	happy and giggling
11	来者不拒	láizhěbújù	to accept everyone
12	画地为牢	huàdìwéiláo	to be enclosed in a circle drawn on the ground
13	艰苦奋斗	jiānkǔfèndòu	to work extremely hard
14	臭气相投	chòuqìxiāngtóu	birds of a feather
15	爱不释手	àibúshìshǒu	love too much to let it go
16	狼心狗肺	lángxīngǒufèi	wolf's heart and dog's lungs
17	五体投地	wǔtǐtóudì	to admire someone greatly
18	袖手旁观	xiùshǒupángguān	to watch with folded arms
19	见义勇为	jiànyìyǒngwéi	to stand up bravely

哥们儿，姐们儿听我说，
我给大伙儿唱支歌儿。

得得得，一边儿靠！
你唱歌的水平我知道。
五音不全常走调儿，
唱歌像是鸭子叫！

嘿！我说哥们儿，
你给点面子好不好？
我向来不说你坏话，
你怎么老在找我茬儿?!

谁在跟你开玩笑？
上回你唱《一剪梅》，
听众全都捂着耳朵笑！

那是因为你在一旁帮倒忙，
抓耳挠腮猴里猴气，
躲在一旁挠痒痒儿。

我是猴，你是鸭，
咱俩谁都没成家。
还是搭伙唱首歌：
东方红，太阳升，
中国出了个毛泽东。

东方红，很有名。
又好唱，又好听。

东方红，很有名。
我们唱，观众听。

不不不！
观众唱，我们听。

东方红，很有名。
我们大家一起唱，
我不说停请别停。

东方红，太阳升，
中国出了个毛泽东。
他为人民谋幸福，
他是人民的大救星。

Key words

1	靠	kào	to stand over there; to lean against
2	水平	shuǐpíng	standard; level
3	走调儿	zǒudiàor	missing tones
4	像	xiàng	to resemble
5	哥们儿	gēmenr	dude (slang)
6	胡说八道	húshuōbādào	to talk rubbish
7	向来	xiànglái	always
8	找茬	zhǎochá	to pick a fight
9	开玩笑	kāi wánxiào	to make fun of
10	捂	wǔ	to cover
11	帮倒忙	bāngdàománg	more gets in the way than help
12	抓耳挠腮	zhuā'ěrnáosāi	to scratch one's ears and cheeks
13	猴	hóu	monkey
14	成家	chéngjiā	to be married
15	搭伙	dāhuǒ	to join together; to be partner
16	观众	guānzhòng	audience
17	停	tíng	to stop
18	谋	móu	to seek
19	救星	jiùxīng	savior

It has perplexed humanity from as early as the Ancient Greeks. So which came first, the chicken or the egg? Have fun acting it!

我是鸡。

我俩是鸡蛋。

它是鸡下的蛋。

我大，它小。

我比你大。

先有我，后有你。

我先到，你后到。

是我先到的。

没有鸡就没有蛋。

没有我就没有你。

我是蛋。

我俩是鸡和蛋。

它是蛋里
出来的鸡。

我大，它小。

我比你大。

先有我，后有你。

我先到，你后到。

是我先到的。

没有蛋就没有鸡。

没有我就没有你。

是先有鸡还是先有蛋？

是先有蛋还是先有鸡？

鸡说鸡先到，蛋说蛋先到。

鸡不同意蛋，蛋不同意鸡。

鸡说鸡的理，

蛋说蛋的理。

请大家说说看，

请大家评个理：

是先有鸡还是先有蛋？

是先有蛋还是先有鸡？

喂！傻蛋！你仔细想想看：

是我生了你，有我才有你！

我有眼和耳，我有腿和毛，

我有嘴和爪，我会叫又会跑。

你呢？你有什么？

你没有眼和耳，没有腿和毛，

你没有嘴和爪，你哪儿都去不了！

喂！傻鸡！

你仔细想想看！

我是一个鸡蛋，

是生命的起点。

没有我就没有你，

没有蛋就没有鸡！

不可能！不可能！
我是鸡，我比你大，
你是蛋，你比我小。
是鸡下了你，
没有鸡就没有你。
我会吃又会叫，
会跑又会跳。
你呢？你会什么？

让我问问你：
请问，你来自何方？
请问，你来自哪里？
你不是来自树上，
也不是来自土地，
你从鸡蛋里冒出来，
有我才有你。

是先有鸡还是先有蛋？
是先有蛋还是先有鸡？
鸡说鸡先到，蛋说蛋先到。
鸡不同意蛋，蛋不同意鸡。
鸡说鸡的理，
蛋说蛋的理。
请大家说说看，
请大家评个理：
是先有鸡还是先有蛋？
是先有蛋还是先有鸡？

你说啥都可以，
我不在乎你。

你说啥都可以，
我不在乎你。

是先有鸡还是先有蛋？
是先有蛋还是先有鸡？
鸡说鸡先到，蛋说蛋先到。
鸡不同意蛋，蛋不同意鸡。
鸡说鸡的理，
蛋说蛋的理。
请大家说说看，
请大家评个理：
是先有鸡还是先有蛋？
是先有蛋还是先有鸡？

别争啦！别争啦！
一定是先有我，
然后才有你。

别争啦！别争啦！
一定是先有我，
然后才有你。

是先有鸡还是先有蛋？
是先有蛋还是先有鸡？

Key words

1	先	xiān	first
2	还是	háishì	or (used in an alternative question)
3	同意	tóngyì	to agree
4	理	lǐ	reason
5	评理	pínglǐ	to judge
6	傻	shǎ	stupid
7	仔细	zǐxì	carefully; careful
8	生	shēng	to give birth to
9	才	cái	until
10	生命	shēngmìng	life
11	起点	qǐdiǎn	starting point
12	可能	kěnéng	possible
13	何方	héfāng	Where?
14	树	shù	tree
15	土地	tǔdì	earth
16	鸡蛋	jīdàn	egg
17	冒	mào	to appear; to come out
18	在乎	zàihu	to care about
19	啥	shá	What?

On April 7, 2013, Belmont Hill School students were invited to give a performance at the award ceremony of the 8th Annual "Chinese Bridge" Chinese Speech Contest for US High School Students held at the campus of University Massachusetts Boston.

Kyle:	各位来宾，各位老师，各位朋友，大家好！
Edward:	我们是 Belmont Hill 学校的学生。
Matt:	我们都是十二年级的学生。
Mark:	我们是同学。
Mudit:	我们是朋友。
Patrick:	我们是哥们儿。
James:	我们都迷上了汉语。
Kyle:	今天，我们代表麻州大学孔子学院
	给大家表演一个节目。
Matt:	今天，我们要向全世界证明：
All:	西法日意德，汉语最好学。
Edward:	等等，等等，什么是西法日意德？
All:	是西班牙语，法语，日语，意大利语和德语。
	西法日意德，汉语最好学！
James:	现在请看我们的表演：
All:	《说好中国话，走遍天下都不怕！》

All:	拍拍手，拍拍手， 大家都来拍拍手！ 上上，下下。左左，右右。 前前，后后。里里，外外。 剪子，石头，布！ 剪子，石头，布！ 剪子，石头，布！
Edward:	我赢了！我先来！ 同学们，我问你： 中国，中国，在哪里？
All:	老师，老师，让我说： 遥远的东方有中国。
Edward:	同学们，仔细看： 中国地图象公鸡。 鸡头朝东，尾朝西。 东有海：
All:	东海，黄海，日本海。
Edward:	西有山：
All:	高高的喜马拉雅山。 五十六个民族住中间， 五十六个民族住中间。

All: 你是哪国人？你要去哪里？

你从哪里来？会说啥外语？

Mark: 我是中国人，要去夏威夷。

我从北京来，我会说英语。

All: 你是哪国人？你要去哪里？

你从哪里来？会说啥外语？

Mudit: 我是美国人，我要去陕西。

我从纽约来，我会说汉语。

All: 你是哪国人？你要去哪里？

你从哪里来？会说啥外语？

Patrick:我是日本人，我要去北极。

我从东京来，我会说德语。

All: 你是哪国人？你要去哪里？

你从哪里来？会说啥外语？

James: 我是英国人，我要去巴黎。

我从伦敦来，我会说法语。

Matt：一二三，三二一。

All：　一二三，三二一。

Matt：一二三四五六七。

All：　一二三四五六七。

Matt：八本书，九枝笔。

All：　八本书，九枝笔。

Matt：：十个学生学汉语。

All：　　十个学生学汉语。

Matt：几本书？几枝笔？

All：　几本书？几枝笔？

Matt：多少学生学汉语？

All：　多少学生学汉语？

　　　一二三四五六七，

　　　七六五四三二一。

　　　三二一！

Edward：一二三，一二三，

　　　　馒头，稀饭，咸菜干，

　　　　面包，花卷，茶叶蛋，

　　　　麻花，油条，请用餐。

Kyle： 一二三，一二三，

　　　　煎鱼，烤鸡，炒芥兰，

　　　　面条，饺子，大米饭，

　　　　南甜北咸……

All： 南甜北咸，东辣西酸。

James： 汉语考试考得好，

　　　　爸妈给我大钞票。

　　　　我请朋友去吃饭，

　　　　想吃什么随便点：

Kyle： 春卷，煎饺，牛肉面，

Matt： 糖醋排骨，羊肉串儿，

Mark： 红烧肉，柠檬鸡，

Mudit： 包子，饺子，清蒸鱼，

Patrick： 还有炒饭炒面炒鸡蛋，

Edward： 麻婆豆腐，吃出汗。

All： 麻婆豆腐，吃出汗！

Mudit:	请问，手机多少钱？
Mark:	七块六毛三。
Patrick:	墨镜多少钱？
Mark:	八百九十三。
M&P:	怎么那么贵?!
	能不能便宜点儿!
Mark:	你想给多少？
Mudit:	一百二十三。
Mark:	六百五十三。
Patrick:	一百二十三。
Mark:	三百五十三。
M&P:	太贵了！不要!
Mark:	别走！别走!
	一百二十三拿去吧！这老外，油着呢!
All:	这老外，油着呢!

James:	中国汉字四方方，
	古老美丽世无双。
Kyle:	点横竖撇竖弯钩，
	横竖撇捺横折钩。
Edward:	字里有画儿要仔细看，
	字里的故事千千万。
All:	Have fun 呀 Have fun!

Matt:　　汉语四声很重要，
　　　　　说不好会让人笑。

Mark:　　小姐我想问问你，
　　　　　不能说成吻吻你。

Mudit:　　书包是书包，
　　　　　书报是书报。

Patrick:　书包是装书的包，
　　　　　书报是书和报。

Edward:　看书是看书，
　　　　　砍树是砍树。

Matt:　　不能把看书说成砍树，
　　　　　也不能把砍树说成看书。

Mark:　　你拍一，我拍一，波士顿，欢迎你！
Matt:　　你拍二，我拍二，汉语让咱们聚一块儿。
Edward:　你拍三，我拍三，咱用汉语侃大山。
M&P:　　你拍四，我拍四，吃饺子，看京剧。
All:　　　你拍五，我拍五，

　　　　　为汉语加油！

　　　　　为中国祝福！

Kyle:　　过年是探亲访友，
　　　　过年是挤车赶船。

James:　　过年是大包小裹，
　　　　过年是门神对联。

Kyle:　　过年是一挂鞭炮，
　　　　过年是笑看春晚，

James:　　过年是年夜饺子，
　　　　过年是家人团圆。

Kyle:　　再远的路，也要往回赶。
　　　　再苦再累，也都心甘情愿。

James:　　有钱没钱，回家过年，
　　　　家里有亲人的期盼。

Kyle:　　有钱没钱，回家过年，
　　　　家里有一桌年夜饭。

James:　　有钱没钱，回家过年，
　　　　跟家人一起看春晚。

Kyle:　　有钱没钱，回家过年，
　　　　父母会欣喜万千。

All:　　回家过年！回家过年！回家过年！

歌曲：常回家看看
作词：戚建波

常回家看看，回家看看，
哪怕给妈妈刷刷筷子洗洗碗。
老人不图儿女为家做多大贡献，
一辈子不容易就图个团团圆圆。

找点空闲，找点时间，
领着孩子常回家看看。
带上笑容，带上祝愿，
陪同爱人常回家看看。

妈妈准备了一些唠叨，
爸爸张罗了一桌好饭。
生活的烦恼跟妈妈说说，
工作的事情向爸爸谈谈。

常回家看看，回家看看，
哪怕给爸爸捶捶后背揉揉肩。
老人不图儿女为家做多大贡献，
一辈子总操心就奔个平平安安。

Key words

1	来宾	láibīn	guest
2	迷	mí	to be crazy about
3	代表	dàibiǎo	to represent
4	表演	biǎoyǎn	to perform; to act; performance
5	证明	zhèngmíng	to prove
6	聚	jù	to gather
7	侃大山	kǎndàshān	to brag; to chat
8	加油	jiāyóu	to cheer
9	探亲访友	tànqīnfǎngyǒu	to visit family and friends
10	挤车	jǐchē	to try to get on a bus
11	春晚	chūnwǎn	Spring Festival Gala
12	心甘情愿	xīngānqíngyuàn	to be willingly
13	父母	fùmǔ	parents
14	欣喜万千	xīnxǐwànqiān	extremely happy
15	贡献	gòngxiàn	to contribute; contribution
16	唠叨	láodao	to nag
17	烦恼	fánnǎo	annoying
18	操心	cāoxīn	to worry about
19	平安	píng'ān	safe and sound; peaceful